国家出版基金项目
NATIONAL PUBLICATION FOUNDATION

《三联经典文库》

第二辑

2012 年国家出版基金项目

三联经典文库

168

战斗者的诗人

黄药眠　著

生活·讀書·新知 三联书店

图书在版编目(CIP)数据

战斗者的诗人 / 黄药眠著. -- 北京 : 生活·读书·新知三联书店, 2014.1
（三联经典文库第二辑）
ISBN 978-7-108-04760-1

Ⅰ. ①战… Ⅱ. ①黄… Ⅲ. ①诗歌研究－中国－文集
Ⅳ. ①I207.22-53

中国版本图书馆CIP数据核字(2013)第262673号

168 战斗者的诗人

责任编辑	戴云波
封扉设计	蔡立国
责任印制	郝德华
出版发行	生活·讀書·新知 三联书店 (北京市东城区美术馆东街22号)
邮　　编	100010
经　　销	新华书店
印　　刷	北京鹏润伟业印刷有限公司
版　　次	2014年1月北京第1版　2014年1月北京第1次印刷
开　　本	787毫米×1092毫米 1/32　印张 6.5
字　　数	88千字
定　　价	24.00元

《三联经典文库》出版缘起

适逢生活·读书·新知三联书店八十华诞，为弘扬传统，接续文脉，回报读者，服务社会，我们决定策划出版《三联经典文库》。

1932年7月，生活书店在上海创办，此后，读书出版社和新知书店相继成立。本文库第一辑、第二辑所选图书，来自于这三家出版单位及其分支机构，以及1948年生活·读书·新知三联书店成立后的出版物，始于1932年，截至1951年，两辑各一百种。此为第二辑，涉及政治、经济、社会、军事、思想文化诸领域，涵盖专著、文集、散文、小说、诗歌、传记、报道等体裁，既有直面现实、追求真理、讴歌真善美、抨击假恶丑的原创作品，又有引介世界各国先进文化、传播新知、开启民智的迻译之作，真实记录了那一代知识分子的思考与探索、理想与愿景和对中华民族文化传承与创新所做出的努力与贡献。

本文库所辑入各书，多为名家名作，在版本方面，以初版一印本或经著译编者审定、修订、增订过的版本为首选，因此本文库又具有较为珍贵的版本价值和收藏价值。

本文库还将编选续辑，使之成为恢弘文化工程。诚挚希望读者给予批评和指正，帮助我们完善编选工作，再现三联经典作品之风采。殊为遗憾的是，由于年代久远，一些原著译编者及其后人未能取得联系并奉付稿酬，诚盼版权所有者与我们联系。祈愿三联前辈所创造的精神财富能薪火相传，为中华文化的伟大复兴增光添彩。

《三联经典文库》编辑委员会

2013年8月

凡　例

一、本文库为重排本，由繁体字竖排版改为简体字横排版。

一、以忠实于原作、整旧如旧为编辑原则，对当时使用的专有名词、外文译名，以及民国时期的语言和特色予以保留。

一、原书注释如旧，编者所出的注释，均以“编者注”标明，以示与原书注释的区别。

一、对原书残缺或字迹漫漶之处，以□示代。

一、对繁简文本转换时的“如右”、“见左”一类，对应改为“如上（前）”、“见下（后）”。

一、对原书中各种错讹脱衍之处，直接订正，不再以其他符号标示。

一、对数字、标点符号的用法，在不损害原文语义的情况下，做必要的规范。

一、本文库各书均前插原书书影、原书版权页和文库版“本书出版说明”。

一、本书出版说明的撰写，以客观中立为原则，扼要介绍本书的内容、版本流转、著译编者的情况。

本书出版说明

本书系由我国著名文艺理论家黄药眠集中其早年谈论诗歌创作的文章而成，其中既有如“论诗底美，诗底形象化”、“诗歌的民族形式问题之我见”这样集中探索诗歌创作的艺术规律与风格特征的理论文章，亦有如“抗战文艺的任务及其方向”、“目前中国的诗歌运动”这样结合时事、主张文艺为现实服务的分析文章。

该书于1947年10月由远方书店在大连初版，1948年7月在哈尔滨又印行了东北版初版。此次出版即以东北版初版为底本。

作者黄药眠（1903-1987），原名访苏、黄访、黄恍，笔名有达史、黄吉、番茄等，广东省梅县人。1927年，在上海加入革命文学团体“创造社”，任该社出版部主力编辑，在《创造周社》、《流沙》等报刊上发表作品，开始文学创作活动。此后，潜心研习马列主义理论，宣传马克思主义，1928 年加入中国共产党。1944 年，在成都加入中国民主同盟，积极参与推动抗日救亡的民主运动。建国后，任北京师范大学中文系教授，从事教学和研究工作。历任第一届全国人大代表；第三、四、五届全国政协委员、六届全国政协常委；中国作协常委、顾问；全国高校文艺理论学会副会长等职。

生活 · 读书 · 新知三联书店

2013 年 8 月

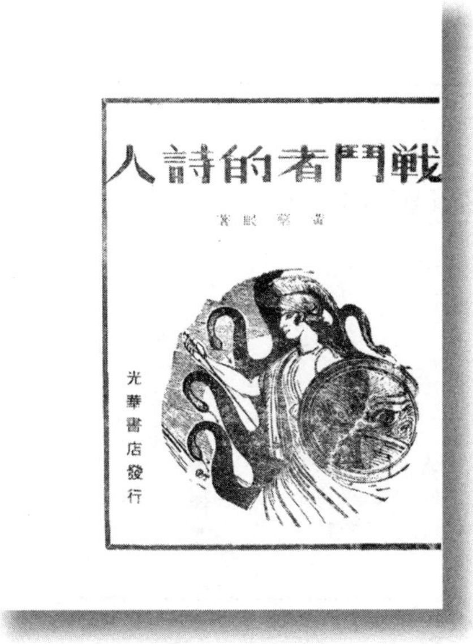

远方书店 1948 年 7 月在哈尔滨印行的东北版初版书影

戰鬥者的詩人

著者 黄药眠
出版者 遠方書店
發行者 遠方書店
總經售 光華書店

ZHANDUZHEID
SHYREN

一九四七年十月在大連初版
一九四八年七月在哈爾濱印造
東北版初版五千册

NO, 97. H 3001——8000

原书版权页

目 次

诗人在历史上走过的足迹

诗人，这是多么崇高的名字啊！然而在这个名字的周围，常常笼罩着许多神秘的迷雾。今天，我们如果想把这个神秘的迷雾打开，我想最好是把诗人当作为历史的产物，社会的产物，来研究一下。

在原始社会时代，人们忙于劳作，迫于生活，根本就没有余裕来做维持生活以外的活动，因此也就没有所谓诗人。如果说有诗人，那大家都是诗人，因为在这个时代，人们在经营着集体的生活，不仅在生产过程中，人们是聚在一起，即在游乐的时候，人们也是聚在一起。当工作余暇，在战争胜利的庆祝中，在酬神祭祀的节日中，他们跳舞（那是作为战争的演习的），他们唱歌，这些歌是最早的诗，而那些唱歌的人，也就是最早的诗人。

我们可以想像得到的，那个时候，那些大会的参与者既是歌者，又是听者，大家从传说中，日常生活上，或从好听的语助辞中诗意编制一些歌辞，它的结构可以说是非常之简单的，有时一首歌里，有一大半都是 Ho Ho La La 这一类狩猎时代的人们用以传递消息或警戒的声音。

到了后来是比较进步了，人们开始学会选择一个或数个口齿比较伶俐，歌喉比较嘹亮的人来先唱，然后由大家来一齐唱，其实这些被选的，也不是事前有什么准备，或是自己立心要做什么诗人，他们不过是当场随口即兴（英文所谓 Improvisation）。那时候，口头文学根本就没有定形，所以谈不上是创作，不过那些歌辞经由他们的口中唱出，自然也就不免有添多减少，或稍加选择的地方。

正因为在诗歌发展上有这么一个阶段，所以有许多庸俗的文学史家，他们认为那些当场随口即兴的人，就是最初的诗人，因而他们肯定的说，诗歌的起源是个人的，而不是集体的。不管他们能够举出多少的例证，但是事实是很明显的：即第一，那个时候，社会的条件，根本不容许人有这样的余暇来编制歌辞；第二，那个时候，记事的技术很简陋，无法来编制歌辞，只有口头传授的文学才最适合于即兴；第三，从古代的歌谣到现在的原始的诗歌里面，都很难发现个人的情感的痕迹。

到了奴隶社会，人对人的压迫和剥削是开始了。一部分人从极端紧张的劳动压迫下解放出来，于是文化进步了，文学技术进步了，诗歌成为了定型的东西，而被流传下来。诗人也就是在这个时候出现了，他开始综合着过去的传说，采撷英雄的事迹溶化成完整的诗篇。不过那时候诗人的地位是并不高的。在希罗多达土搜集的关于荷马的小诗中，有这么一句："If you give me hire，I will sing potters."这样看起来，大诗人荷马在当时也不过是卖唱的小人物。所以在那个时候，有一种诗人，他是替主人保管着史册和文库，同时搜集、编纂和创造一些诗歌；有一种诗人，他是兼营巫卜，托言神人赐梦，创造些教训的诗歌，他是神的歌者，同时也是统治者的歌者；还有一种诗人，他是因为自己的族姓覆亡，被俘为奴隶，不过因为他还有一点专长，所以受主人的优待；还有一种诗人，他们因为自己的军队败北，不能不向远处逃亡，他们有时回各处流落，有时则寄食于别的族姓的贵族家里，这一种诗人，就是成为后来的流浪诗人的开始。

封建社会到来了，似乎这对于诗人的社会地位，并没有多大的改变。他们大都是诸侯们的食客，也没有一定的职掌，在我们中国从宋玉的《登徒子好色赋》，《招魂》诸篇，推演而成汉代的辞赋，这其间的大作家，如枚乘，司马相如，枚皋，东方朔之流，大都是宫廷里帮闲的文士。如《汉书 · 枚乘传》，“枚皋自侮类娼”，《东方朔传》，“俱在左右啁啁而已”，《严助传》里也说，“朔皋不根持论，上颇俳优蓄之”。至于其所创作，目的也不过是获得主上的欢心，比方司马相如之《大人赋》，表面上是说想劝止武帝之好神仙，然而，事实上，他那种“闳侈巨衍”的描写，结果反而使武帝“缥缥然有凌云之志”。在欧洲，中世纪时代的诗人，同样是受着封建主人的豢养，当封建主凯旋，或遇有什么庆祝的大典，诗人们常常忙着为他自己的主人而歌，赞美骑士，美人，哀悼着英雄的死者，他们的主人，于是就常常为这些诗人们的美丽的文采所感动，而深加赞许，而诗人们也就为了这，而受主人们的优待。我们只要看李太白受到唐明皇知遇时候的情形，我们也就不难想像到封建文人当得意时候的景况。然而这些诗人，一个不小心触犯了主人之怒，或是新的主人根本不喜欢文学，于是这些人马上就要受人的冷淡。其无聊的情况正如中国孟尝君门下的冯谖，只好弹弹铗，作一些“食无鱼”的牢骚的慨叹了。如果主人们再不加注意，那么诗人们也就只得挟着一枝笔另行奔投新主。

还有一种诗人，他是和宗教保持着很密切的关系，但是他已经比以前很朴素的训诫的诗歌进步了，他把道德上和宗教上的抽象观念，人格化起来，形象化起来，编成故事，如斯宾塞的《妖皇后》就是一个例子。然而因为它究竟是从抽象观念出发，勉强形象化起来的东西，所以它缺乏着人间性，它里面的人物，一看，就知道是一种悬拟的东西。

姑无论这些诗人是为神而服务，还是为宗教而服务，而随着诗人的诞生，诗人的个性，和天才是不可磨灭的，而且只要是好的作品，它必然会或多或少地反映着当时的现实。正因为这个缘故，所以有许多诗并不会因年代的延长而被湮没，相反的它是被人们当成为宝贵的遗产而保存下来。到了资本主义时代，诗人们的个性就被人特别的重视而充分发挥着。

远在资本主义还没有来叩历史的大门以前，在紧密地封固着的封建堡垒的周围早就泛滥着商业资本的洪流了。商人的势力有时竟膨胀到国王都不能不向他让步。就是在这时候，一部分诗人能够在封建主的宫廷以外生活着了，他们跑到十字街头，呼吸着都市和田野的气息，他逐渐洗去了一些封建的成见，实际的和各种各样的人接触，于是他发现人，发现人性之可贵，人，再也不是神的可怜的创造物了。人，再也不是某种道德观念的化身了，诗人们开始坦白无忌的为人性而歌，为自己而歌，人的观念改变了，于是连带的对自然的观念也改变了，自然，再也不是神的喜怒的表现，再也没有神对人的惩罚，人类的力量逐渐增强，自然所加以人类的压迫和恐怖也逐渐减轻，大自然成为了人类获得资源的无限的宝藏，自然成为了人类精神上的朋友，而且大自然的广阔无限，错综瑰丽更给予了初从封建的束缚解放出来的人们以最大的兴奋。卢骚，渥茨渥斯，歌德，都正是描写自然的能手啊。

当第三等级勃兴的时候，文学部门中新兴的散文和小说开始流行起来，它把叙事诗的部分移了过去，于是诗歌的创作更偏向于抒情。

十八世纪的末期到十九世纪的初期，正是革命的热潮时代。有一部分的诗人为革命的暴风雨吓得头昏，于是把自己的头脑都缩到那腐烂的棉絮里发着模糊的呓语，替他们封建主唱着挽歌，然而大部分的诗人，都为时代的潮流所冲激，直接的或间接的和革命结上了因缘。自由，平等和个性成为了诗人们歌咏的主题。

然而这些诗人们，他们是和封建制度有着历史的血肉的关联，当资本主义猛烈的破坏封建制度的时候，诗人们一方面接受了资本主义的意识，一方面对于封建制度有着难忘的留恋，这种心理上的矛盾，给予了诗人们以最大的苦痛。

还有是资本主义本身的矛盾，从一开始已经焦灼着诗人们的心了。一方面资本主义生产的分工制度，市场上买者与卖者之间对立的形态，造成了个人的意识；然而在另一方面，资本主义制度在一切都崇拜金钱的精神指导下，它又在逐步的完成摧残个性的机构。一方面资本主义把贸易上的自由，贸易上的平等，推演成为普遍的自由与平等，然而另外一方面，在事实上，它又不允许人们有真正的自由与平等。诗人们以无限热烈的心情追求着自由与平等，并求无限制的发展个人的个性，但是结果都是极度的感到不满，但又不知道不满的原因。就是这一种矛盾的心情，使得诗人们不能不蹈空，追求幻想，憧憬着远方，从现实世界以外去寻求安慰，或者是任性胡行，用美人和酒刺激着自己的神经，所以所谓浪漫主义实际上就是不满和不断的追求，只有深切地理解了浪漫主义的诗人们的内心，才能够真正的明了浪漫主义诗人们的文学史上所应占的价值。一切企图把浪漫主义相当于哲学上的唯心主义，把写实主义相当于哲学上的唯物主义的说法，实际上都是糊涂的思想。

所以我说那时候，诗人们的悲哀，并不是悲观消极，或是无病呻吟，不，它是热烈地追求真理的过程中的反拨，它是反映着资本主义兴起期中的阴暗面，它是时代的悲哀。因此我们对于诗人们的一些任性的行为、越出道德轨范的行为也是表示原谅，这并不是因为他是诗人，所以有着特权超越乎道德以上。不是的，我们之所以原谅他，是因为他有着拆穿现实社会的虚伪的道德的心情，这是一种反抗，这是革命的因素。

自从十九世纪以来，诗人已逐渐的成为一种独立的职业，以前是自侮类娼的，现在，诗人也开始多少明了他是社会的一分子，他在社会的进化里面，卓然的有着自己的职责。所以所谓“为艺术而艺术”的口号，事实上就是根基于自由平等的学说发展出来的职业自尊。它是对一切企图把诗人收为己用的国王们的反抗，它是对一切企图收买诗人去拥护落后势力的反抗。它首先提出了艺术的尊严，所以“为艺术而艺术”的口号在资本主义初期，它是包涵着丰富的革命的意义。可惜的，是直到今天，还有许多人不明了“为艺术而艺术”的当时实际的意义，和它的社会内容，而只是望文生义，以为“为艺术而艺术”就是艺术至上主义，所以就是反动的东西，像这一类的批评家，他简直是把文艺批评拉回到普列哈诺夫以前去，除了说他一声愚蠢以外，还有什么别的话说呢？

到了资本主义末期，诗人们逐渐成为以出卖稿费为生的职业诗人。在诗人看来，他的诗是一种商品，而在读者看来诗亦是一种商品。诗人和读者之间，没有直接的关联，缺乏精神上的互相感应，诗人的自我发展逐渐成为了放纵，偏狭，和怪异，他不知不觉的把自己局限于异常狭小的范围，而且由于很少和广泛的社会阶层接触，自我变成易常的贫弱和孤陋。在另外一方面，自由与平等成为了虚伪，富豪们拥有了一切，使正义都默然无色。为艺术而艺术的口号早已失去了它初期提出来时的庄严，它变成近代文人们躲避现实的幌子。在这个幌子下面，他们在发着旧梦。而富豪自然也不会爱惜一些余沥来豢养这些在梦幻中过活的诗人，使他们能够过着比较富裕的享乐生活。颓废的倾向，在最先是包涵着对现实社会反抗的意味，但是现在纯粹成为了自私的享乐。它对于颠覆无告的人们闭着眼睛，他们安于现在的生活忘记了明日。他们找寻着官能的刺激，来陶醉自己，他们追求着从丰富的物质生活产生出来的形式美，而鄙视内容；他们用自己最纤细而敏锐的感觉，去抚摸着世界上一切的外表，他们甚至无力去组织它们，而只有把零碎的印象，无秩序地像呓语般堆叠在一起，他们无力地呻吟着，低微地感叹着。黄金浸透了他们的灵魂。诗人成为了装饰着残阳的花朵，资本主义末世的诗人就是如此。

不过，这里还是一个小小的支流，那就是在资本主义庞大的结构下所养育着的一部分知识分子自己的诗人。这些分子包括着政府的中下级的官吏，教员，医生，律师，工程师，洋行的职员，小商人小手工业者和技师，他们虽然是替豪富者们管理着家业，他们自己究竟不是主人。他们对于富豪者的横行，对于社会正义的沦亡，对于自己的不可变动的地位和单调的生活，对于失业者的恐慌，都感到很大的不满足和失望。然而他们又没有变革这个世界的勇气和力量。所以他们只有在自己所能及的小天地内自寻欢乐，他们极力想把自己从客观的世界抽出来。很冷静地去绘模形像，正如美国的印象派所做的一样。然而不管他们在诗的辞句里面保持着冷静和乐观，然而客观上一个稍为懂得近代社会科学的人，读了他们的乐观诗以后，一定会觉得这些诗是乐观的，而他们所处的地位是悲观的。是的，在资本独裁的制度下面，那些知识者的命运不是很可悲的吗？

末世的诗人们在有气无力的唱着靡靡之音的时候，新的诗人们的声音，大踏步的唱着走来了……

略论中国的诗史

在说到本文以前，我得首先声明，我对于中国诗的知识是并不十分丰富的，幸而我这一篇文章的目的，并不是想很赅博的把中国诗史加以论列，而是想站在接受中国旧诗遗产的立场，来回顾一下中国诗演变的过程，它的特点，从而提出几个新的问题出来。

说来也许是很可耻的，中国的新文化运动有二十余年的历史，然而直到今天，中国还没有一本很好的文学史，而坊间普通的文学史书，大部是抄袭《诗品》、《文心雕龙》之类的书，囿于旧说，既无历史家的眼光，更无新文艺的知识，陈言腐见，充塞篇幅，读了他们的书以后，只觉得这个是名家那个是佳句，不特得不到一个简明的系统，反而觉得驳杂纷纭，令人迷失路向。比较可看的，还是陆侃如的《诗史》，只可惜本人僻处乡间，只读了他的第一卷。

现在我就试以最简略的篇幅来略论中国的诗。

首先是说到《诗经》。《诗经》是从西历前十一世纪至前七世纪的中国诗歌总集。我很赞成陆侃如的说法，把它排成颂，雅，风，南，并从这里面，求出它的演变的足迹。这个诗歌总集，是上采至王公，下采至人民，而且都和音乐有着密切的关系，如《左传》记晋文公出亡说：“他日公享之，子犯曰：‘吾不如衰之文也，清使衰从，公子赋河公赋六月……’”从这一点看来，这些诗很多是即席赋出而披以音乐的，例如汉高祖即席作《大风歌》，也是一个旁证。

随着中国文化的逐渐南移，楚辞勃兴了，屈原不仅是第一个诗人，而且是一个最伟大的诗人，因为他是怀抱着救国救民的主张，而且坚持着这种主张，不屈而死的，因此他的诗不仅辞藻华丽而且词旨悲愤哀伤。到了宋玉，虽然在形式上还是和屈原保存着一致的作风，然而从内容上看，宋玉已经放弃了屈原的孤愤的心情，而专致力于辞藻，借名讽喻，而实则自逞才华，正如扬雄所说，“难免于劝”了。

到了汉代，从屈原的《九歌》推演，而成为汉代的郊庙歌，舞曲。《九歌》是有很高的文艺价值的，它有美丽的神话和丰富的想像，然而降而为郊庙歌，燕射歌，则变成徒具形骸，毫无精彩。在《楚辞》里面正在发展着的神话，何以到此忽然中断，这是很有趣味的问题。

据我的意见，我认为，这种中断，完全是由于孔家哲学作祟。“子不语怪力乱神”的主张首先是打击了神话，其次因为这些歌都是贵族们特制来歌颂自己的祖宗和自己的功德的，一切都得维持着形式上的庄严，所以毫无根据的神话，自然就难于立足了。我们只要看班固对于《楚辞》的批评说：“屈原露才扬己，竞乎危国群小之间，……多称昆仑冥婚，宓妃虚无之语，皆非法度之政，经义所载。”我们也就可以知道汉代文人对《楚辞》里面的神话所取的态度了。

在另外一方面从宋玉的《招魂》，发展为辞赋，中国的士大夫在这个时候，已毫无自己的立场，而只成为取悦于人君的文士。如果在欧洲，小国林立，文士们如果在这个国王面前不得志，就可以离开他，而别找主人，可是在中国，天下定于一尊，文人们只有一个主人，足以供他们回旋的自由格外少，因而他们的奴仆性格也格外明显。司马长卿的《子虚》、《上林》诸赋，实际上都是上娱人主的制作。自然不可否认的，这里面也包涵着有作者的文艺的天才。

辞赋实是叙事诗的一种，因为它描景状物，真是画态极妍，然而中国诗的辞赋，何以采取平面的敷陈，而不作纵的叙述？即是说，中国的诗，何以不能发展成诗史如西洋的诗史一样？我想，主要的原因是因为中国的人君根本不愿他手下的文人去称赞为他服务的英雄，因为如果是给人们捧得太利害，这些英雄们岂不是要威震人主吗？比方班固的《燕然山铭》所歌颂的事件本来应该是发挥叙事诗的才能的很好的机会，然而除了很简短的《燕然山铭》以外，我们就没有看见其他的中国诗人为这次战争而歌颂了。

除了士大夫文人的辞赋，和庙堂宴飨之歌外，还有一些则是从民间采来的乐府。如相和歌，清商曲，和杂曲。这些东西都是从西汉到东汉积蓄下来的。

这里面有很质朴的四言的《箜篌引》：

公无渡河，
公竟渡河；
坠河而死，
当奈公何。

有长短不一，而非常接近民间口语的。如《孤子生行》：

腊月来归，
不敢自言苦，
头多虮虱，
面目多尘。
……
手为错，
足下无菲，
怆怆履霜，
中多蒺藜；
拔断蒺藜，
肠肉中怆欲悲……

也有像《伤歌行》般那么格律整齐技巧纯熟的诗作品，如：

昭昭素明月，
辉光烛我床；
忧人不能寐，
耿耿夜何长！
微风吹闺闼，
罗帷自飘扬，
揽衣曳长带，
屣履下高堂，
东西安所之，
徘徊以彷徨。

至于在相和歌里面的《董逃行》，以及《王子乔》，这一类的游仙诗，虽然亦描写一些天上的宫阙，但究竟因为没有宗教做背景，终于不能发达下去了。

与这些乐府并行的还有古诗十九首（其实这里面的“冉冉孤生竹”及“上东门”都是乐府）和苏李赠答诗。

这些诗实际都是汉末和三国期间的作品，它们确立了中国五言诗的格调。

对于魏晋时代的曹家三父子，建安七子和晋代的三诗杰，我都想略而不谈，我现在只想把陶渊明提出来谈一谈。

刚才说过中国诗人，自从屈原以后，根本就无所谓主张，他们只是以文取媚于人主，虽然专制皇帝的那种独断的统治，和文人的气质是不大符合的，然而文人为了生活，终究不能不在政府里面混混饭吃，到了陶渊明的时代，天下大乱，政府腐败，文人们即使想很忠实的服务于一个人主，都很不容易，所以陶潜先生便实行了“邦有道则仕，邦无道则隐”的主张，做了山林隐逸之士，在这里面开辟一个诗的境界，不过他对于自然的赞美，并不是把自然当作为神的启示，或者如泛神论者一样，从自然里面看出神秘的生命，或是看出自己。相反，他是想把自我没入到自然里面，借以忘记世界上的一切。陶渊明不仅在诗里面开辟诗宗，而且在思想上也替后来的文人打开了一条消极的出路：那就是得意的时候，就做庙堂的文人；失意的时候，就做山林的隐士。

中国诗，歌颂自然的特别多，而在这里面，大都是贯穿着隐士精神。

至于从南北朝的整个诗坛来看，一方面是上承汉魏乐府而加以发展，另一方面，则因为北朝受北方游牧民族的统治，语多高吭，南朝是东晋的偏安，辞多绮丽。

例如北朝乐府《琅邪王歌》：

新买五尺刀，
悬着中梁柱，
一日三摩挲，
剧于十五女。

就是他们的恋爱歌也是非常之质朴而有趣的。如《幽州马客吟》：

郎著紫裤褶，
女著彩夹裙，
男女共燕游，
黄花生后园。

最足为北朝诗歌的特征的是《地驱歌·折杨柳歌辞》：

遥望孟津河，
杨柳郁婆娑。
我是虏家儿，
不解汉儿歌，
健儿须快马，
快马须健儿，
跸跋黄尘下，
然后别雄雌。……

反观南朝的情形怎样呢？沈约，周颙正在研究着四声八病，而他们的乐府也是非常之纤丽。

《子夜歌》：
宿昔不梳头，
丝发披两肩，
腕伸郎膝上，
何处不可怜，

擘枕北窗卧，
郎来就侬嬉，
小喜多唐突，
相怜能几时。

例如南朝诗人鲍照，是以雄壮出名的，然而他的诗还是非常之华丽，如《行路难》第一首：

奉君金卮之美酒，
玳瑁玉匣之雕琴，
七彩芙蓉之羽帐，
九华葡萄之锦衾，
红颜零落岁将暮，
寒光宛转时欲沉……

因为南北朝是中国诗史发展的关键，所以不能不比较详细的来说一说：

第一，南北朝时代，诗人之情感与思想已逐渐复杂，过去的短句已不能容纳这许多的思想和情感，所以诗由四言，五言，推衍而至于七言。本来七言古诗在建安时代的“落叶瑟瑟天气凉”已经开始，但到了南北朝，如鲍照的《行路难》，如萧衍的《东飞伯劳歌》才把七言诗渐渐建立成一体，这是一。

第二，由于南朝文人，对于文学的钻研，一方面有沈约的四声八病之说，企图建立起中国诗的技术的法则；另一方面在创作上，他们已从辞赋里面移来了排偶之风。如谢灵运之“池塘生春草，园柳变鸣禽”，“昏旦变气候，山水含清辉”这一类的排句了。

第三，南朝文人技巧和感情都非常之洗炼，于是他们上承乐府，另创短歌。这些短歌，大都是以最简短的言辞传出最浓郁的情绪，它是写景，但同时又是抒情。这是中国诗最大的特点，读起来真有点言有尽而意无穷之感，例如谢眺的《玉阶怨》：

夕殿下珠帘，
流萤飞复息，
长夜缝罗衣，
思君此何极！

第四，在南北朝时代，开始发生叙事诗。如《孔雀东南飞》，叙述一个女子在封建制度压迫下的悲苦的命运，长三百五十余行。如《木兰从军》，充分代表了当时北方女子的性格。

中国诗，经过了这个南北文化交流的时期，加以唐朝是以诗取士，所以唐代诗的创作特别繁盛，不仅有五古，七古，同时还有五七言绝律均可披以弦管。盖当时的乐府已和音乐脱节，如李白所作的《将进酒》等已不能入乐，白居易作的新乐府也未曾入乐，只有律绝可以入乐了。中国诗总是同音乐有不解的因缘，这也是一个特点。

在唐初，沈、宋，是承继齐梁的文体，陈子昂、张九龄则追踪汉魏，事实上对于上一代的文艺遗产还是不能消化融合。一直到天宝之乱，唐诗才真正到了开花时期。我觉得中国的诗，是要在社会动乱的时候，才能够有较多的成就。因为在太平时候，诗人们安富尊荣的吃着皇家饭，亦无所感触，而且束缚于诗教和形式，言论均以皇帝的意志为依归，很少自由。只有到了动乱的时候，社会的秩序剧变，诗人们东奔西走，与社会现实得到更多的接触，言论的束缚比较减少，只有在这个时候，诗歌才能够更发达起来。三国时代是如此，南北朝时代是如此，天宝之乱的时代亦是如此。

一提到中唐时代的诗人，史家大都是以李杜并提，其实李白不过是宫廷诗人中比较狂放的人物，他的诗是言多而意少，有时且装腔作势，而里面却没有很多东西。所以现在我只提到杜甫。

杜甫是屈原以后最关心于民族国家的诗人。是一个最忠实于艺术的“语不惊人死不休”的诗人。是一个最关心于人民生活，同情于被压迫者，而不囿于士大夫成见的诗人。我们只要读他的《石壕吏》,《垂老别》这一类的诗就可以知道了。从他的诗的艺术的成就说，他承袭了北朝苍劲的气魄，拾取了南朝的华采，自铸新诗，成为了一代宗师。今天，我们如果说要研究中国旧诗，杜甫应该是最重要的作家之一了。

唐诗有两种特出的成就，第一种是因为唐代的几次对外战争，都获得胜利，所以诗人们对于沙漠上的战争有很多出色的歌咏。诗人岑参是一向参加戎幕的，所以他描写起来格外亲切。其中如《走马川行奉送封大夫出师西征》:

……半夜军行戈相拨，
风头如刀面如割，
马毛带雪汗气蒸，
五花车前旋作冰……

又如高适的《燕歌行》：

大漠穷秋塞草衰，
孤城落日斗兵稀，
身当恩遇常轻敌，
力尽关山未解围……

唐诗的第二种成就，就是到了晚唐，温、李、杜一班人继承南朝的艳体，而成为了温李派。如果陶潜从山水里面找到了逃避现实的方法，那么温李他们则从色情里面找到逃避现实的方法，这替后来的中国诗人们又开辟了一个新的门户。

本来，比起西洋诗来，中国诗在爱情方面是表现得太少了。这原因是，中国人在极端封建意识的压迫下，这种情感没有办法自由发展。所以在中国诗里面，一面是表现着中国人特有的深切的友情，其实这正是爱情的升华作用，另一面，是表现着极端的色情。如李义山的无题诗，多半是对女冠宫人而发，例如《无题》：

含情春腕晚，
暂见夜阑干，
楼响将登怯，
帘烘欲过难，
多羞钗上燕，
真愧镜中鸾，
归去横塘晓，
华星送宝鞍。

又如韦庄的《菩萨蛮》：

红楼夜别堪惆怅，
香灯半掩流苏帐。
残月出门时，

美人和泪辞，
琵琶金羽翠，
弦上黄莺语，
劝我早归家，
绿窗人似花。

唐以后的诗，一方面是循着五言七言的法则，不受音乐的拘束，独立发展下去，而另外一方面有些诗人则打破了五言七言的规律而造成长短句的词。由古代的乐府，变为唐代的诗，由唐代的诗，变为宋代的词，这中间一脉相传，都是在追随着音乐走的。关于这种变化的关键，《全唐诗附录》里说得好："唐人乐府，原用律绝等诗，杂和声歌之，其并和声作实字，长短其句以就曲拍者为填词。开元天宝肇其端，元和太和衍其流，大中咸通以后，迄于南唐二蜀，尤家工户习，以尽其变……"显然的，由诗变词，表面上看起来似乎是解放了，但是事实上，因为每一首词都要能就曲拍的缘故，它的格律反而是格外严格起来。

不过这里我有两个问题：第一就是在理论上说，诗脱离了音乐以后，它应该是更自由地发展下去，但是事实上为什么中国唐以后的诗，不仅在格律上完全遵从五言七言的法则，即在作风上亦不能不出于可怜的摹仿？第二个问题是，为什么中国的诗人老是愿意跟着音乐走！照《全唐诗附录》里说的，这种填词是“家工户习”，十分普遍的了。是不是就这一点，就足以解释中国诗人们宁愿受着音律的限制，专门在词上用功夫呢？照我个人的意见，自唐以后，中国的文学家一面是诗，它向词曲这方面去发展，一方面是向平话小说这方面去发展。五言七言诗事实上已和唐朝时候的乐府一样到了衰落的时期。所以我们今天研究诗史的人，亦应该多向词曲方面去做工夫，而不应该死抓住五言七言在那里打圈子。

关于宋诗，除了苏轼和陆游有多少新的东西以外，其余如江西诗派之黄庭坚等，实是一无可取。

只是由诗到宋词，那显然是很大的发展，从唐五代的小令发展成为慢词，这就使词确定的成为了一种诗体。不过做词人比起做诗人来还要更多的具备一个条件，那就是词人大都同时又是一个音乐家。

不管词的格律的限制是多么的严格，但是在开创这一种诗体的时候，它显然的曾经花了很大的功夫从民间去吸取新的血液，我们只要看慢词之父的柳永是如何去创作的，吴曾的《能改斋漫录》上有这么一段：

> ……词自南唐以来，但有小令，其慢词起自仁宗朝，中原息兵，汴京繁庶，歌台舞榭，竞赌新声，耆卿失意无聊，流连‘曲场’，遂尽收俚俗语言编入词中，以便使人传习。一时动听，散布四方，其后东坡少游山谷，相踪有作，慢词遂盛。

我想这一段话是很要紧的，正因为柳永能够尽收俚俗语言，才能使他有“凡有井水饮处，即能歌柳词”的成功，也正因为柳永能够尽收俚俗语言，才能够使词这个诗体有很大的发展。

由北宋豪放派的词人苏轼传到辛稼轩，更发挥了他的忠悃爱国的思想。辛氏因为跟耿京在山东接济忠义军马，所以他的词更能反映宋室南渡这一个动乱的时代。至于婉约派的词人，因为老是和教坊歌女混在一起，由周邦彦、李清照，到南宋的姜白石，虽然不是没有佳作，但是字汇愈来愈少，到了吴文英那一班人，更是日益晦涩。到了这个时候，词这个诗体，又逐渐成为古乐府、唐诗一样，只可以作为人们模仿的对象了。

由词到曲，这是中国诗向民主更走前一步。它重新向鄙俚的口语里面获取它的新生命。以前的中国诗人，只知道抒发自己的情感，到了词曲家，不仅是诗体的演变，而且是诗的内容上的进步。再从词曲作家的出身研究起来，虽然他们中间，有些是王公，如明朝的宁献王朱权，周宪王朱有燉，有些是做过大官的士大夫如阮大铖之流，但是同时也有很多穷愁潦倒的文人，不知名的寒士，他们有些是终身没有做过官，把整个生命献于艺术的。比方《拜月亭》的作者施惠，是“居吴山城皇庙前，以坐贾为业”的人物，至于《白兔记》的作者，有许多人还认为它并不是出于文人的手笔，正因为这些作家本身是住在里巷之间，而不是住在庙堂之上，所以他比较不会囿于士大夫的成见，所接触的现实，范围较广，对于人物的观察也较深刻。从艺术的见地说来，元明诸作曲家的艺术才能，实远越于前代。可惜的是中国的诗史家一说起诗来就是李白杜甫，这真是眼光未免过小了。

其实中国的曲，是相当于外国的剧诗。不过西洋的剧诗虽然是有韵，但也并不受音乐的法则的限制，它是先由作者写好诗，然后由音乐家配以音乐。但是中国的作曲家则同时是诗人又是音乐家。然而诗人未必就能懂音乐，而懂音乐的又未必能长于文学。所以到了清季，文人所作的传奇，多力求高雅，以致于不能协律，脱离了音乐，同时又脱离了语言，结果毫无生气，走上了衰落的道路。在这个时候，俚俗的乱弹起来了，可是也就是在这个时候，西洋的文化已以巨大的压力闯进中国的大门。

元代杂剧的四大作家，关汉卿，白朴，马致远，郑德辉他们在文学上所占的地位，实应不下于唐代诸诗人。其中关汉卿的《窦娥冤》，马致远的《汉宫秋》，王实甫的《西厢记》，早已流传海外有英法译本。可惜的是中国的青年们直到现在还在那里睁着疲倦的眼睛读着三家村秀才教的获麟解之类的极无价值的文章，对于这些大作家的作品，不仅没有读过，恐怕连名字都没有听过呢。

由杂剧而进于传奇，已逐渐变成比较长的体制，已经不像杂剧一样，通常只有四折了。元代的传奇，除了荆、刘、拜、杀四大传奇以外，高则诚的《琵琶记》是最出名的，现在把它录出两段来，和古代的乐府，或唐诗比较一下是很有趣味的。

〔商调过曲〕〔山坡羊〕（旦）乱荒荒不丰稔的年岁，远迢迢不回来的夫婿，急煎煎不耐烦的二亲，软怯怯不济事的孤身体，衣典尽寸丝不挂体，几番拼死奴身已，怎奈没主公婆教谁看取，思之虚飘飘命怎期，难挨，实丕丕灾共危。

〔双调过曲〕〔孝顺歌〕（旦）呕得我肝肠痛，泪珠垂，喉咙尚兀自牢嗄住，糠那，你遭磨，被楮杵，筛你簸扬你，吃尽控持，好似奴家身狼狈，千辛万苦皆经历！苦人吃着苦滋味！两苦相逢，可知道欲吞不去！

我想，作为一首诗来看，它是不会弱过于《孔雀东南飞》的，而它里面所表现的贫苦妇人的心理，实在是比《孔雀东南飞》深刻。

又例如马致远的《汉宫秋》里的一段：

〔梅花酒〕呀，对着这回野凄凉，草色已添黄，兔起早迎霜，犬腿得毛苍，人搠起举枪，马负着行装，车运着糇粮，打猎起围场，他他他伤心辞汉主，我我我携手上河梁，他部从入穷荒，我銮舆返咸阳，返咸阳，过宫墙，过宫墙，绕回廊，绕回廊，近椒房，近椒房，月昏黄，月昏黄，生夜凉，生夜凉，泣寒螀，泣寒螀，绿纱窗，绿纱窗，不思量。

这些诗比起《长恨歌》来是不会逊色的。

他如明朝汤显祖的《牡丹亭》，清康熙末叶孔尚任的《桃花扇》都是很出名的。据说孔氏作《桃花扇》，经过十余年，易稿三次，且经曲师王寿熙等的试拍，才告完成，从这里也可以看出作者对于他自己的作品是如何的爱护和严肃了。他最末一段的《哀江南》是：

〔离亭宴，带歇拍煞〕俺曾见金陵王莺啼晓，秦淮水树开花早，谁知道容易冰消，眼看他起朱楼，眼见他宴宾客，眼看他楼塌了，这青苔碧瓦堆，俺曾睡风流觉，将五十年兴亡看饱，那乌衣巷不姓王，莫愁湖鬼夜哭，凤凰台栖枭鸟，残山梦最真，旧境丢难掉，不信这舆图换蒿木，诌一套《哀江南》放悲声唱到老。

我觉得像这一类的诗比起杜甫的《北征》上“夜深经战场，寒月照白骨”一段，不会差多少，比起庾信的《哀江南》来，亦并无逊色，而且这些诗都是有故事的长篇巨制，所以它的魄力，说起来也许是比杜甫还要大些。

由于明清以后写五言七言诗的人，大都是没有多大才能，只知摹仿唐、宋，或甚至魏晋，因此在批评上也反映出一种复古的谬论，以为古人的诗比现代的人好。动不动就是说古诗“格调高古”，其实怎样才算是格调高古，连他们自己也说不清楚，为什么高古就是好，他们更说不清楚，像《桃花扇》的那首词，是不是算高古了？这种玄之又玄的理论，忽视进化法则的批评实在是要不得的。

王渔洋的神韵说，事实上就是形式主义的批评，我们只要看他自己的秋柳诗，不过是把一种物象的各种各样的美的形态，和美的联想堆在一起就完了。至于他的绝句，还是不脱宋明人的窠臼。袁子才的性灵论，更是荒唐，他是想把一顿而入大乘的佛法拿来作诗。他只知道作诗应该有感触，但他不知道这感触的根源究竟是什么。作为文艺批评的理论来看，这种批评实在是幼稚得可笑的。

说完了中国诗史这一大段，接着就要说到五四运动前的新文艺和五四运动后的新文艺运动。

从以上所说的旧诗的历史看来，我们可以得出很简单的很大概的结论。那就是中国的诗是在极端专制的君主制度下面，极端严格的封建意识笼罩下面艰难地生长的。它缺乏宗教的感情，缺乏幻想，没有古英雄的叙事诗。它的题材亦是比较狭隘。生死，离别，山水，友谊，战争，爱情，色情。一直到了近代，受了平话、小说的反拨，诗才开始走上宽广的道路。但是当时因为受着音乐的限制，还是不能很自由的开展。

现在我们要向站在今天诗歌运动的立场来看，我们从中国旧诗里面究竟可以学得些什么呢？我想我们从屈原杜甫这些人的作品里是可以学习些东西的，从短小的抒情诗绝句里面是可以学习一些东西的，从元曲里面可以学习一些东西的。但这些都是偏于技术方面，如果我们想从中国旧诗里面找到一个诗人，可以作为我们的先生，奋发我们革命的情愫，那是很困难的。在最近半个世纪以来，中国已走完了欧洲数个世纪的行程，我们今天所急于要学习的，是世界文学里面最优良的传统，五四以来新文化的成果。中国过去的诗，究竟和我们在时代上是隔得太远了。

论诗的创作

我这篇文章，并不打算一般的去讨论创作上的原则，我的目的，是要提供诗歌创作上的几个当前问题。我说的话也许太辛辣些，但，这不是没有益处的。——作者

一　诗歌创作上的源泉

说起来也许是一种惭愧罢，我们中国的诗人都是这么短命的！所谓短命自然不是说他们都像济慈和雪莱般这么早死，而是说他们的诗的生命是十分的短促的！

这二十多年来，中国的历史是演进的异常得急剧而且异常富于戏剧性的。从五四，五三，五卅，一二·九，七七，八·一三，以至于这三年多的抗战，这些事实好

像巨浪般一个个地打过来，可是我们的诗人呢，也许在第一个浪潮来的时候，它是尖顶上的白花，可是到第二个浪潮来的时候，它已经是在河床打滚的泥滓了。

其实这二十多年来每一次历史的巨浪，都在推动着革命运动的巨流在前进，然而我们的诗歌运动却并没有一路伴随着这巨流成长。

中国的诗人们的诗歌生命为什么会如此其短促呢？

推究起来，至少有如下的几个原因：

第一，由于次殖民地文化的低落，和五四时代的启蒙运动不能广泛的贯彻到群众的下层，因而诗歌运动的读者至始终局限在狭小的圈子里，同时也就因为了这个缘故，诗歌在物质上和精神上都得不到强力的支持，而不断的呈着早衰的状态。

第二，一九二七年末，左翼的诗歌运动虽然在意识上把握了前进的方向，但是这些青年知识分子里的诗人们，大都是首先从概念上去认识革命，因此，他们的诗多数成为了革命的空喊，诗歌运动已不能在群众中得到反应，诗歌不能发挥出它的功能，所以诗歌本身也就被人过低的估计着。另一方面，一部分诗人受到政治的关系，而一部分诗人则为工作的需要，投身到实际工作的熔炉中去，并努力在这工作的锻炼中积蓄更多的经验，散布更多的文艺种子。

第三，由于这些诗人所出身的社会阶层之动摇性和不彻底性，新诗歌运动一开始就含着一些绅士气味，随着以后政治低潮的到来，中国士大夫的才子气派，再加上了从西洋输进来的资本主义颓废期的许多怪异的流派，这样就使得中国诗歌运动走上歧途。诗人们空泛地在追求形象、华彩和刺激。这种追逐的幻想的结果，使诗人的生活逐渐的陷于庸俗主义，到了最后就不能不造成诗歌创作源泉的枯竭。

自然，这以上所说，都不过是从社会科学的见地去寻求它的根源。然而，我们是不能以此为止的。如果我们把一切的原因都全推到社会演变的规律上去，那么，难道诗人们自己就不需要负一些责任吗？丝是从蚕的口里吐出来，诗是从诗人的笔底下写出来的。因此诗人们诗歌生命的短促，诗人本身的修养不够，亦同样负很大的责任。

大家都知道当新诗歌运动初起的时候，它是带有浓厚的个人主义的色彩的。个人主义，在它和封建的礼教，封建的从属关系对立的意义上说，它无疑是进步的，所以当诗人憧憬着平等与自由，赞美着战斗与旧世界的毁灭，追求着解放了的爱情，而为这而歌唱的时候，他不仅是唱出了自己的喜悦与哀愁，自己的同情和愤怒，实际上他也是唱出了那时候的急起的小资产者群的喜悦与哀愁，同情与愤怒。而且在一个历史阶段上，它也是殖民地的人民对帝国主义和封建势力斗争的最初的号角。它是和整个被压迫阶级的革命运动合拍的。所以这个时期的诗人们的个人主义的抒情得到了广泛的知识者群所拥护。

然而当资产阶级离开了革命以后，中国基本的社会内容虽然没有变，可是工作的作风和斗争的方法变了。在这个时候，有些诗人是接受了正确的意识，然而却缺乏了实际的灵验，所以结果变成了空喊，等到后来，连自己也觉得这种空喊没有多大意义，而停止歌唱了。诗坛里留下来的，于是就只剩了一些喜欢重温着个人主义的旧梦的诗人。

一滴海水里含着有整个海的滋味，这句话是只有在个人主义还能够代表着进步的倾向时是正确的。如果个人主义真的还原到孤独的个人的话，那么一粒盐只能够等于一粒盐。

伟大的哲学家曾说过：人的本质是在于人与人之间。这句话是非常有意义的。只有诗人们能够在非常紧张的社会斗争中磨炼，激动起情感的热流，经历着一切复杂的人与人之间的关系，遍尝着社会的矛盾，反映到自己内心的痛苦，他们才能够使自己的生活丰富起来，情感紧张起来，喜，怒，哀，乐，忧郁与怀恋，憎恨与同情，错综而深化起来。

假如一个诗人同社会生活隔离，同整个的文化运动疏远，同被压迫者的痛苦隔阂，同革命运动脱节，那么，一切所谓人道，光明，正义都将会变为空洞的辞句。他所能知道的将只限于个人的见闻；所能感触到的，将只是个人的琐事；他所关怀的只是自己作品的市场价格；而他所喜，所怒，所哀，所乐，所憎恨，所同情，所忧郁，所爱悦，都不过是他个人的和他周围小群人的专业。这样没有问题的，他的生活会一天天流于单调，感情会一天天的陷于空虚，知识一天天狭隘，精神一天天萎缩，思想一天天变成孤陋与庸俗。正如守财奴不能为他的失去了黄金而歌，这一类的诗人，自然也就很难为这孤独的“自我”而歌了。

的确，曾经有过一些诗人，因为自己感到生活的空虚而甘愿自己毁灭。但是这究竟是不容易的。所以也正有不少的人，不管自己的诗是越作越空虚，还是愿意在那里重复着那没有生命的句子。

有些诗人不能不乞怜于感觉，企图从官能的陶醉中去发现别人所未能感觉过的世界，以个人的奇异的感觉代替了大众的感情。

这些诗人不能不从单调的生活中去找寻新的灵感，企图从他周围的琐碎的事物联想到辽远的、他自己认为不可知的世界去。正如雷孔德·李斯莱说的：“在没有真正的生活的地方，诗人的任务就是在创造出一种想像的生活。”但是安德列·纪德说过：“当艺术和生活的真实性脱了节的时候，艺术就成了矫揉造作的东西。……艺术是从坚实的土地基础，人民的生活中汲取来的。”然而神秘主义的诗人却想由梦来代替现实。

也有些诗人在追求着华彩，正如一个中年妇人企图以脂粉来掩饰着自己的容颜的丑恶。也有些诗人在追求着新奇，有如广告员身上的新装，以能够吸引住行人为满足。

也有些诗人走向相反的道路，他把过去用旧了的滥调搬上诗坛，而且还以过去的才子姿态出现着。他们自鸣得意的即席挥毫，你唱我和，以此来装饰那豪华的宴会。

也有些诗人，在恋爱的时期中确曾做过几首好诗，但是恋爱成功，诗的生命也就死了，因为这以后，是再也没有什么可以使诗人动情，而为它唱歌的了。

总括起来说：中国诗人们的诗歌生命的短促，其原因是由于诗人们的诗歌源泉的缺乏，而诗歌源泉之所以贫乏，则由于诗人本身的认识不够，努力不够，持续力不够。诗人和社会运动的生活远离。

有些推崇“自我”的诗人，常常说：诗的源泉是要从“自我”的深处去掘发，其实还是错了，诗歌的源泉是要从社会生活中去掘发的。

二　思想感情与形象

由于材料上的限制，我们现在是没有可能来把抗战以来的诗歌运动做出周详的结论，而且在我的别一篇文章里，我曾指出了这几年来诗歌运动的进步的地方和它的缺点。现在我这里所要讲到的，倒是一个创作上的基本问题。

大家都知道，诗歌是在各种文艺样式中最紧凑最凝炼的形式。这也就是说诗歌的创作需要更多的主观的强度的情感去洗炼那些客观的世界里所摄取来的素材，使整个的诗篇里，以至于每一句话，每一个形象里都含蕴着浓郁的感情的香气，当然要把客观的形象转变成主观的情感的象征，和从感情的喷发中去铸造形象，这首先就需要强度的热情的波动。所以感情是形象的母亲。

当然这所谓情感，它是比思想更直接的，和更丰富的反映现实的东西，同时也是比思想更先在的东西。

为什么说感情是比思想更直接的和更丰富反映现实的东西呢？比方憎恨一个土豪劣绅和憎恨一个革命者，这两种情感根本就没有经过各人的思索而直接（是）从本身的生活经验反射出来的。但是这种情感还是朴素的情感。只有当一个人的思想一天天发达，感情和思想一天天交流起来，那么感情才能够更富于内容。戈西哀说过：他宁愿不做法兰西的公民而不能不喜欢看裸体的美妇。普列哈诺夫对他这种说法曾经这样答复：就是爱看裸体的美妇也还是思想。显然的当一个受了教养的人，看到裸体的美妇而发生审美的情感的时候，这种情感自然是没有经过思索而直接从现实世界反映出来的，不过把这个感情更具体的分析起来，这里面已包含有很多的思想的成分。只有经过思想的洗炼和深化的情感，才是深刻的情感，而这种情感也就是更富于血肉的思想。

再进一步来说，情感是更能够突进于现实内部的东西。因为理论只能使我们把握到一般的发展的规律，而不能使我们洞彻的去了解到每一件事物的具体的微妙的内容。理论只能指导着感觉的方向，而不能使我们直接去体会，只有理论变成实践，在实践的过程中，发生各种感情的波动的时候，理论才能够真正能动的反映客观世界之真实性，和获得主客观的统一。一个坐在房子里讲体系的人是不会有什么情感，同时也就永远不会了解这体系和这个世界。“理论是灰色的，只有生活常青。”所谓常青的生活，正是指那富于热情的斗争生活。

我在上面讲了这么一大堆话，目的在什么呢？

第一，我是说明感情既然是思想表现的另一种形式，所以以感情为生命的诗人，在这样激烈的社会斗争中更是应该读一些社会科学及哲学一类书，如果徒然靠一时冲动的朴素情感来写诗，那么他的感情一定是单薄而易于枯竭，而且会使他在许多小的场合上作感情的浪费，不能把握到时代的脉搏而喊出真正能代表千万人的呼声。

第二，我是要说明，感情并不是简单的概念，也并不是直接从概念产生，写诗更不是正确的思想加上空洞的口号，没有丰富的实践的经验和感情的人，是连思想也不会正确到什么了不起的。

过去，曾经有一个时期，批评界以思想正确与否作为艺术批评的标准。现在是改过了，人们在强调着形象化的口号，可是新的问题又从此产生。目前诗歌创作上的流弊便成为正确的思想加上形象，感情和形象脱了节。普列哈诺夫关于这一点倒说得对，他说，诗人们先有了概念，然后再发明一些形象去充实它，这是新闻记者的事业。很可惜的，我们目前正有不少的人挂着诗人的招牌做着这一类的新闻记者！

现在让我来举一个例罢。

关于空喊的毛病，批评家似乎是批评得多了，然而有不少的人还在“顽强”地做着这一类的愚蠢的反复。在上海诗歌丛刊《给新伙伴》里有一首朱维基先生的《历史的七月》，这首诗里面，实在连感情的影子也望不见，说它是诗，的确有点不像，当然思想是正确的。现在为了便于读者参考起见，特别把它抄录如下：

> 哦伟大的七月，你永远要为被压迫者所歌颂，
> 因为，最初，你在我们的肥沃的土地上，
> 孕育了一个为民族的解放而斗争的政党，
> 这个政党从她的开始直到现在以至于将来，
> 曾经，正在，并且还要走着艰苦的行程，
> 要使这一个古老的国家到达一个新的生命；
> 隔了十六年，为了要解脱帝国主义的束缚，
> 你七月，又举起了斗争的信号，辉煌而明确。

一支光芒万丈的烽火升起于中国北部的天空，
于是，为保卫祖国而战的情绪，像一阵巨浪，
在四万万五千万人民的心中汹涌而激荡。

哦伟大的七月，因为你孕育了这伟大政党，
卢沟桥的烽火才能照遍了全中国的大地，
战争的火焰才能不断地从战士到战士传递，
于是一声号召唤起了全国的人民，
政府宣布了这是全面战争的开始，
卢沟桥的巨炮才就发生了宏大的吼声，
我们中华民族的吼声，
我们中华民族的勇士扩大了我们的战争，
这样我们不怕艰苦地负起了神圣的使命。

哦伟大的七月，永远要为我们所歌颂的七月，
你引导了我们踏上为真理而奋斗的大道，
为了要解放我们自己，我们已流了三年的血，
我们还愿意流更多的血为其他的弱小民族。
我们已使东方的法西斯拔不出它的泥足，

我们是英勇地站在正义战争的前哨——
这样，哦伟大的七月，你在我们中国，
已经举起了世界革命的第二次信号，
在历史上你将和伟大的十月先后辉映！

让读者自己去裁判罢，这算不算诗呢！至少在我个人看来，这不过是不完整的散文。

关于感情和形象脱节的例子，举起来也是很多的，就是柯仲平和艾青先生也还是免不了有这样的缺憾。比方在柯氏的《平汉路工人破坏大队》那首诗里，作者好像是十九世纪写实主义作家写小说般，那么仔细的去刻划那些工人的说话和动作，并企图从这些动作和言语里去证明工人们是如何在伟大的斗争中团结了自己。正因为作者集中全力想用形象去证明这种概念，结果作为诗歌生命的感情成分反而缺少了。所以当我们读完了那首诗以后，我们只可以很慷慨的拍着胸膛说是的，我知道的确有过这么一回事，然而我们并不会因此而感动。

又比方艾青先生的《哀巴黎》，大家都知道艾青先生的文字是很美丽的，技巧是很成熟的，形象也是很丰富的，然而也正因为了这，使得他很容易取巧。《哀巴黎》这首诗里有着不少的形象，如：

于是 Pantheon
与 Invaledes 的门前，
将举行
比第一执政官时代更隆重的凯旋式，
在那长长的肃穆行列之间
走过了一个
比拿破仑更冒险的人物。
卢梭，伏尔太，丹顿的铜像，
将被无情的铁锤击落；
在他们的位置上
将站立起
希特拉，戈培尔，戈林的
双手插在腰身的姿态。
……
不！
法兰西人民是勇敢的

普鲁士军队进入巴黎

也不只一次。

每次击退侵略者的

是法兰西的人民自己。

法兰西的光荣的历史

是她的勇敢的人民写成的。

我们看，第一第二两段是多么形象化呵！可是在这些形象的后面，感情的成分却是非常的单薄，如果和拜仑的《哀希腊》比较起来，那么我们更可以看出《哀巴黎》不过是轻微的叹息。至所写的第三段，那是表现得更是十分无力。

现在让我们来再多举一个例罢。在《给新伙伴》中的第二首卢苇先生的《丽水的血的一夜》里，有这样一段：

……

从酣睡里醒过来，

人们恐慌地听着丧钟一样的警报，

慌乱地穿上了衣服。
春夜的寒气使人发抖，
到处泛滥着孩子的啼声，
人们惊慌地喊着奔走，
从温暖的床上拖起了
丈夫，妻子，父母，和兄弟。
家家的门闭了又锁了，
街上腾起了杂沓的脚步，
静静的城市油锅一样地沸腾了！
狗吠着，孩子哭着，女人骂着！
男人交紧了牙齿；
披着一身星光与夜露，
人们向城外和田野奔跑着，
他们从午夜的春梦里醒过来了。
麦田里，城墙边，地壕里，
人们到处蹲着坐着立着，
搜索着黑茫茫的天边，
怨愁的心，燃烧着仇恨的火，
结成一条炽燃的鞭子，

坚强地挥向侵略者。

……

这首诗的确也很形象化的，作者费了很大的劲在那里摹绘当时的警报中慌乱的情景。可是在这些形象当中，曾含蓄了浓郁的愤怒与仇恨的心情么？我看是没有的。

忿怒的心，燃烧着仇恨的火，

结成一条炽燃的鞭子，

坚强地挥向侵略者。

……

这些都是空洞的辞句。作者好像是先来一大套形象，然后来一个忿怒之类的尾巴，而不是在每一个形象中都灌注进忿恨的怒火。所以我觉得无论它描画的怎样生动，它还不能成功为一首好诗。

最好这里举一首好诗来做个对照。可惜我手头没有一本诗集，现在只得把穆木天先生在《怎样学习诗歌》里面所引雨果的《海夜》一首抄录如下：

呵！是有多少的船长，

欢愉地出征到远的重洋，

而在这阴惨的天际中漂没！

有多少是消灭了残酷而悽惨的命运呀！

在一个没有底的海里，在一个没有月的夜里，

永远埋藏在盲目的汪洋之下，

有多少船长呀，同他们的船员们在一同死亡！

暴风掀开了他们生命的一页一页，

而一下子把它吹散在波浪之上！

没有人会知道沉在深渊中的他们的前后，

每个浪花路过都带走了战利品；

有的找住了一只轻舟，有的是几个水手！

没有人知道你们的命运呀！沉落了的可怜的头颅！

你们流转着穿过那些阴惨的地域，

用你们死的额头撞着那些无名的礁石，

呵！是有多少的年老的亲属已经没有了

梦，

死亡了！一边天天在海岸上等待着

那些不能重回来的人们！

人们有时在夜聚时谈到你们，

无数的欢乐的集团，坐在腐朽的锚上，

还有时把你们的被阴影盖着的名字混入

笑声，歌的叠句，英雄的冒险的故事，

和人们从你们的美满的前程所掠到的接吻，

而，你们呢，则长眠在绿色的海藻之中！

人们问道——他们是在那里，是否在某岛称王，

是不是他们抛开我们到一个更肥沃的地上？——

随后，连你们追忆都被埋没了。

身躯消灭在海水中，姓名埋没在记忆里。

时，是一切暗影上投射一个更黑的阴影的。

在阴惨的海洋上，投射了阴暗的忘却。

马上你们的影子，就要在所有的眼里消灭了。

不是有的人有他的锄头，有的人有他的小舟?

孤独地，在暴风雨胜利的那些漫漫的长夜里，

你们的白发苍苍的寡妇，等你们等得疲倦

还在讲着你们，一边在搔着，

她们的炉中的心中的灰烬。

而等到墓石前后闭住了他们的眼睛，

再没有谁知道你们的姓名，连一块顽石，

在回声向我们答应着狭窄的墓地里，

连在秋日里萧萧落叶的一棵翠柳，

连在古桥拐角角乞丐所唱的单调而朴素的歌声，

都不知道了他们的姓名!

他们是在那里，湮沉在暗夜里的那些海员，

呵!波浪，你们是有多少悲惨的故事呀!

被跪着的母亲所惧怕的深沉的海浪呀！
你们在潮水升上时互相讲述着的故事，
是不是那些故事使你们作出了失望的声音！
在夜里，在你们向我们升来的时候！

我们读了这首诗以后，会感到怎样呢？它所以给我们的形象并不是简单的形象而已，它每一个形象都传给我们丰富的作者主观的情愫。

我想只有这样一类动人的诗才不是新闻记者而是真正的诗人的事业。

三　诗创作的技术

现在再来从技术上考察一下。

我觉得目前有些诗，不仅在内容上一无足取，即在形式上也是非常之不适合中国人的语调，甚或至于很难看得懂。比方在袁水拍的诗集《人民》里有一首题名为《天气》的诗，它开头一节有这么几句：

天气在穷鬼身上，
变做一副刑具；
在刑具里生活，
冻裂的皮肤挤出一丝血。
天气在富贵人身上，
变做一件来路货皮大褛；
和狐毛中香粉擦的雪白，
“真正文学”的美的鼻尖。

像最后一句里的“‘真正文学’的美的鼻尖”那是什么意思呢，这没有注解是不能令读者读得懂的。

有些人写诗和散文一样，甚至比散文还要写得差些，比方在《我们的诗》（《上海诗歌丛刊》第三期）里洛雨先生的《演戏》中有这么一段：

我们只有些小道具！
有些东西要向观众商量。
一句话，
大家送来了竹椅子，

拖着泥彩庄稼汉的衣裳，
古老的花缎袍，
老妇人的古纱裙，
乡长的铜丝眼镜，
也开启过少妇的嫁衣箱，
还缺几支枪
自卫队送来了……

像这样拖泥带水的叙述，是不会以为贴上了“诗”的标记就美化起来的。

再来说到分段与分行。本来诗的分段与分行是按照着诗的内容来安排的，所谓“自由诗”，就说诗要从传统的严格规律解放出来，而能够更自由地适应于内容。所以诗的每一段，应该成为一个感情单位，保持着统一，每一行应该成为一个音节单位，过去中国有五七言等的限制，西洋诗亦有五音步七音步的限制，近代的自由诗是把这个规律打破了，这使得诗的形式更富于弹性，以适应近代人的生活调子，和复杂的诗的内容。可是诗的分行还是有它的规律，虽然在近代自由诗里，有些句子特别短，而有些句子却特别长，但我们知道它是为适应于情的波动而产生的，所以在读的时候，声调的徐急和高低之间，自然的会把其间长短之差加以调节，而使每一行都仍相当的保持着它的音节的均衡。可是现在有些诗人似乎还并不明了这些粗浅的道理。例如婴子先生的《寒风的旅程》里面有这么一段：

> 大浪涌小浪
> 来到河上
> 低压的云天，天脚下
> 呵呵！呵！是如此地，如此
> 蜿蜒的好像一条蛇，
> 展向天脚去，又向天脚去
> 河穿过的地方，穿过的原野。
> 农民已把大地收拾得干净
> 村子孤独的傍着河，傍着山
> 傍着残年
> 原是腊月近了
> 腊月时，人们量一丈青布

收拾最后一日
人不出门，田里干翻着土
今天人们有大地的忧郁。

这一段诗，在上面一大半截里是描写着田园风景，而最后五句则又似乎说到农家的风俗，这从分段上说是不统一的，正如一个小孩子挟着书包去上课，一看见路旁弄猴戏，就停下来看得出神，连书包也忘了。我们这位诗人大概也是一时注意到农家的风俗，而也就一时忘记了他上面所写的还是农家风景罢。

再从分行来说，我就不了解为什么要排列成：

低压的云天，天脚下
呵呵！呵！是如此地，如此
蜿蜒的好像一条蛇，

那“天脚下”和“如此地，如此”是十分生硬的。

在婴了先生的另外一首诗《秋旅》里，它第一段是：

北空有雁了。

秋。

这一段诗表现了一些什么呢？既没有诗情，也没有诗的形象，它所表现的是什么呢？他除用新奇的形式来向读者炫示外，他还有什么呢！

谈到分行，目前中国似乎正有许多人在学习玛耶可夫斯基，一个字一行，两个字一行，把一句话分裂成几行。我想这样做法，在目前中国是行不通的。

第一，中国的语文和俄文不同，我们不能过分的违反了中国语文的自然的音调，而专心去摹仿别国语文的音调。而且一首诗的形式最重要的是要能适应于那首诗的内容，如果专心去求和伟大作家形式上的类似，那是时髦主义。

第二，玛耶可夫斯基的这种分行法，是为着适应玛氏之朗诵而成。中国目前诗歌朗诵运动尚未普遍，而朗诵的方法，也尚在尝试中，如果我们也摹仿着玛氏的写法，读者们因为不能够把握到其中音节和调子上的差异反而会感到生疏。比方玛耶可夫斯基：

我

是苏联的

公民！

这在俄文读起来是很自然的，每一行，在朗诵的时候，都要有一个停顿。可是如果我们用中国话来套上去，写成：

我

是中国的

百姓！

而且在朗诵的时候，在每一行末了顿一顿，那么你想人们是会觉得多么怪异呢？

我觉得今天我们是没有必要来勉强去摹拟那些与中国目前习惯相距很远的外来形式，正如我们不必穿着西装去向乡下老百姓骄傲。我们所要从玛耶可夫斯基学习的，倒是他的革命的精神和工作的热情。穿起玛耶可夫斯基的裤子，是决不会使一个中国诗人变成玛耶可夫斯基的。

最后我不能不指出，中国有一些诗人们连文章都还写不通的。在远古的时候，有些不识字的牧人，也会装着梦见什么神仙，而随口唱出诗来，可是这种“奇迹”是不能适用于现代的诗人了。文章写不好的诗人，我看见了不少，比方在《中国诗坛》号外号阴隐先生写的《检讨与愿望》这篇文章里，就有几句话，简直是十分难懂，而它之所以难懂决不是因为它有什么深奥的哲学，而主要的是因为它有着文法的错误或名词的误用。例如：“群众需要能刺激他们的情感的。揭橥侵略者的野蛮的诗……”（揭橥两字旁的圈为作者原有者。下同。——编者）“现在香港诗歌运动沉寂下去了，像我们不曾想像过政治退潮一样的出乎我们的想像外沉寂下去了。”“诗是成了生活构成部分，一个机体式的延长……”“为了帝国主义与帝国主义‘矛盾的妥协’。”

对于这一类的青年诗人们，我想最好还是请他多用功一些罢。急于成功往往是要走向和成功相反的道路上去的。

（附注：作者因为手头资料缺乏，这里所引用的诗只以作者所能看到的为限。）

战斗者的诗人

什么是诗？人凡是写诗的都是诗人，这是谁亦知道的，不过，诗人在社会上是处于什么地位，他对于整个社会的演进是起着什么作用，对于这个问题，因各种不同的理论，而产生出各种不同的答复。

在资本主义时期，个人主义特别发扬，诗人们就常把自己的身份估计得过高，或甚至养成自我崇拜之风。而在文艺批评方面，也同样的有个人主义的批评家，他们不惜以最好的美名加到诗人的身上。

有人说，诗人是一个先知，他的敏锐的感觉最先感觉到这时代的脉搏，和社会的缺陷，他好像是站在高山上的瞭望者，他虽然不能指出明确的路径和实际的办法，但他从很远的地方，就望见了将来的远景。但另外一方面也有人说，诗人是永远落在革命后面的，他至多不过是革命的追随者和摹绘者。当炮声最响的时候，诗人的芦笛，自然也就消沉了。其实这个争论，在今天看来是很容易解决的。你说诗人是一个先知，这也是要分别开来说。因为正有些诗人是对过去的留恋比对将来的憧憬还要利害些的，正有些诗人为革命所惊骇而钻进自然的怀抱或是做着可怜的中世纪的梦的。莎陀伯里安不是一个例子吗？所以所谓先知，这只能应用在某一部分的进步的诗人身上。这一部分诗人，在黎明之前，为人类的理想而歌，为人类的幸福而奋斗，他们冒着很大的危难，当前卫接触的时候，他们是站在前头。可是当斗争剧烈，主力战争开始，诗人就不能不退居于战斗者的一员的地位了。他并不是落后，在战壕里不是同样可以奏起了悠然的芦笛吗？他不是摹绘，他是在鼓动和组织。俄国诗人玛耶可夫斯基不是一个很好的例子吗？

有人说，诗人是一个超人，超人和常人间的距离正是进化的象征，所以诗人是站在善和恶的彼岸的，他要发展自我，他要好像飞鸢般翱翔于九霄，摆脱一切道德和法律的限制。这种哲学是个人主义的尖端，他鼓吹着诗人和社会游离，提倡着破坏和放纵，企图从破坏中得到魔鬼式的愉快，从放纵中建立起美梦。对的，束缚着人类的生存和发展的一切虚伪的道德和法律是应该破坏，一切乡愿，市侩和恶棍的庸俗的意见，琐屑鄙吝的行为是应该唾弃，但这不是唾弃一切的人类，破坏一切的道德和法律，其实在乡愿，市侩，恶棍的社会里面，不是连诗人也不能不沾染一些恶习吗？在虚伪的道德和法律的束缚下，不是连诗人自己也不能不在小的地方让步吗？破坏旧的，建立新的，这需要长久的时间，需要集体的努力，所以也需要更多的忍耐，一切想超越这个现实世界的企图，表面上看起来，似乎是对目前这个世界的反抗，但实际上却是企图以空想的梦景粉饰这个世界，他以艺术的名义提倡着无情，但事实上无情正杀害了艺术的美。无政府主义的破坏和放纵，这是个人主义发达的标志，但是同时也是个人主义的破灭。超人哲学极端咒诅乡愿，市侩和恶棍，但事实上却造成了更大的恶棍。所以新的诗人不是超人，他是生活和发展在这现实的社会里面的。“人的本质是在于人与人之间”，也只有在人与人之间，才能真正发扬个性。“人类不绝的改变自然，同时又改变人类自己。”同样，诗人不绝的改变社会，同时又改变了诗人自己，诗人是改造者和教育家，他爱人类，所以才憎恶人类的蟊贼，就是在爱和憎的矛盾当中发出诗的情感。

有人说，诗人是创造者，是英雄，他可以随意所之，缔造出形象，震撼着读者的灵魂；他揭露自然的奥秘，摹绘各种各样的人物，构成一个作品世界。无论你是英雄，是奸邪，是农夫，是学者，都不能逃出诗人的笔端。能够吐露出英雄的怀抱，洞悉英雄的内心的人，不是他自己也是英雄吗？对于这种说法，我们得分别开来答复。第一，诗人的创作并不是自由的。从创作的冲动看，有时诗人一触即发，许多形象好像都自然而然的奔赴笔底。但是进一步的从社会学的见地，心理学的见地去研究，那么我们就知道，诗人之所以对于这一种事物，而不是对于那一种事物，会有怎么“一触”都是有着它的根源的。我们虽然不能用数学的方程式去计算出来，但至少，这个倾向是可以得到解释的。它是受着社会的和心理的法则所制约的。再从创作的过程看，诗人想要构成一个作品世界，光靠着这一触即发的感情是不成功的。三两句佳句，并不必一定能成为一种好诗。长篇巨制是需要组织而且它的计划首先要受艺术的一般法则的制约，要受媒质的制约，同时还要做到故事和人物对于现实的一致，故事和人物的一致，人物个性的一致，故事发展的一致。这里需要很大的匠心。不过，这并不是说，诗人的创作，完全是不自由的。不是的，这些法则都是思想自身发展的规律，而不是从外面加上来的枷锁。形式，那只是内容的外现，所以诗的创作是自由同时又不自由。其次，诗人铸造英雄豪杰，也铸造奸邪，恶棍，但是诗人还是诗人，他不是英雄或奸邪。正如雕刻家能雕塑出英雄的雕像，但他自己不必一定是英雄，虽然从塑像本身也可以或多或少看见雕刻家自己。所以诗人不是天马行空般的创造者，他也不是英雄，他只是巨匠，铸造灵魂的巨匠。

从现代的意义说来，诗人既不是封建时代的俳优，不是自我崇拜的英雄，不是半人半神的超人，也不是先知，他只是一个战斗者。所谓战斗者，在今天说来他至少是包含着以下的意义：

第一，他必须知道社会演变的法则，和理解个人在集体中的地位，知道正义是属于那一边，坚持着正义，而且能够为着它而奋斗。在斗争中激动自己的情感，因而不断的汲取着诗的源泉。正因为他懂得社会进化的历程，所以他不会任情使气，到处乱碰钉子，处在逆境的时候，他也知道进退之方，不会牢骚满腹，自加戕贼。不过，诗人可以做战斗者的一员，但他不可能做一个战斗的指挥者，他缺乏作为一个指挥者所应具的冷静和坚定的性格。但丁，雨果，都是很伟大的诗人，但都是蹩脚的政治家。像曹孟德父子那样的诗人，是在历史上都很难找到的。

第二，新诗人必须把自己的崇高的性格贯彻到生活的各方面去。由于社会生活的矛盾，诗人常常有着人格分裂的现象。即一方面，当他写诗的时候，他是一个诗人，但是当他平常生活的时候，他又是一个市侩，或是一个放纵者，由外在的矛盾，反映到诗人们内心的矛盾，并逐渐形成两个系统，两重性格，这也是极自然的结果，所以作为一个近代诗人，他不仅应该反对外在的一切不良的现象，同时还要反对自己本身不良的倾向，市侩的倾向。

大家都知道，在过去，恶魔派的诗人们，一方面是崇高和美丽，他方面是放纵和自私，这原因是浪漫派的诗人是以超越现实的心情，厌恶现实的心情来写诗的。因此他从梦幻中去追求理想，悬拟着布置上最崇高和美丽的东西，或甚至世界上不可能有的最崇高最美丽的东西。然而事实上，他又不可能脱离现实社会，他不能不在生活的漩涡里旋转，旋转，受着当时社会的道德和习俗的限制，这在当做个人主义的诗人看来，是不能忍耐的。理想和现实的极端矛盾，因而产生了浪漫的激情，追求着瞬间的刺激，用以减少心里面的悲哀，可是这种情形现在是过去了。

现代诗人的理想，已再也不是悬空的了。他的幻想也是根据于客观的实际，而不是主观的随意的幻梦。他的理想是生根于现实运动的法则里面，理想和实践一致，理想才获得更丰满的内容，不是很明白吗？在今天，我们都知道自由，平等，都不是一蹴可几的，社会的正义也不是到什么地方可以去找到的，它需要长期的奋斗，新的诗人不从浪漫的行动、官能的刺激去生出激情，而是从斗争的生活中去发生出激情，为了达到这，他应该保持着诗人的崇高的气质，无论是对于自己或是对于别人都应该有嫉恶如仇的习惯，不断的向它斗争。这不是人格的分裂，这是自己对自己的斗争。

第三，新诗人，必须排除庸俗的，泛滥的同情，一个诗人，不仅是自己在感觉着，而且也必须替别人感觉着，深刻地体验到别人的内心。曾经有过作家，写到狗的时候，就自己趴在地上当狗爬，用以体验狗的心情，这也许未必是一件真的事实，不过有一件事是真的，就是当诗人写地主的时候，他必须好像自己也是地主，写士兵的时候，必需自己也好像士兵，可是这样的做法，他渐渐地变得对世界的一切都有着同情，他最容易接受黑格尔最守旧的命题“凡是存在的都是合理的”，甚至认为世界上一切的不幸，都是由于互相不能谅解，因此结果他就同托尔斯泰般，企图以文学作沟通他们的情感的工具，根本反对斗争，但是近代的诗人，他必须反对这种泛滥的同情，他虽然是应该洞悉到各种人物的内心，但他并不能放弃自己主观的立场。相反的，他要加强主观的目的意识性，从动的方面去理解人物和世界，诗是描写，是抒情，同时也是批评，也是控诉。

第四，近代的诗人，必须能够受得起感情的锻炼。诗人既然是战斗者的一员，所以他就不能站在轨范以外，战争既然又是集体的行动，而集体里面又有许多不可避免的小的纠纷和磨擦，所以作为战斗者的个人，就必须经得起感情的锻炼，受得起打击，受得起委屈。所谓“痛心忍性，行不乱其所为”，我们假如在最痛苦的时候，自己问一问自己，究竟是为了什么，那么，一定的，我们的目的意识就格外明显，而且这样情思的郁结，正所以丰富自己的生活的内容而加强冲激的力量。新的诗人，一方面珍视着自己的情感，但在另一方面，随着场合的不同，对于某些感（情）也加以适当的控制。这不是抹煞情感，而是爱护着情感。

总之，时代换过了，它对于诗人的评价，也换过了，它在诗人们面前所提出的要求也换过了，而诗人们处在这样紧张，复杂，剧变的时代，他也必须明了这个时代潮流之所趋，正义之所在，自己在社会里面所应起的作用，因而找寻出自己所应该站的地位，开拓自己创作的源泉，一切过去诗的理论上之个人主义，把个性当成偶像来崇拜的说法，必须扫清，因为它不仅不能推动发展诗歌运动，使诗人走上正确的道路，而且会阻碍诗歌运动，戕害诗人。

论诗底美，诗底形象化

一　从美说到诗的美

怎样才算是美？这是所有的艺术科学所应该解答的课题。绘画学告诉我们红与黑放在一起，它给我们的印象是如何，青与蓝放在一起，它给我们的印象又如何。几根线条如果是像图一的样子，它会使我们获得怎样的感觉，如果在这中间，多了一条垂直线，如图二的样子，它又会使我们获得怎样的感觉。这几个构成美的基本法则，它是很具体的，而且是学艺术科学的人必须具备的知识。

（一图）

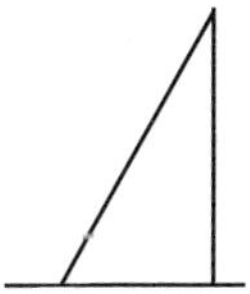

（二图）

然而挟着这一点基本知识去了解美是不够的。为什么同样的风景区，今天看是美丽的，明天在同样情形之下看又不美丽了？为什么这个人看是美丽，而那个人看又不美丽了？为什么在这时代人们认为它是美丽，而另一个时代看，人们又认为它是不美丽了？我们试拿三十多年前的古装美人来看吧，没有问题的，我们一定会以为她是再丑不过的了。

所以我想我们应该进一步的来研究一下美的哲学，即什么是美。

什么是美？原来所谓美是不能够用静的方法来理解的。在客观的世界不断的矛盾变化中，主观的人也同样的在不断的矛盾变化，当客观的世界和主观的人发生着调协与和谐的时候，人就会觉得这是美的。所以同样的自然界，其间由于阴阳晴雨有着种种不同的变化，而人们自己也因为有着喜怒哀乐种种不同的情绪，因而对于外在的世界有种种不同的观念。一个颓心丧志的人喜欢斜阳衰草，正因为斜阳衰草可以感触他的内心，而发生默契。

既然所谓美乃是主观和客观在一瞬间发生的调和与

融洽，所以我们不仅要在客观上研究所以构成美的客观条件，而且需要更具体研究一下人们所以会发生美感的主观的根据。美的观念之构成，从主观方面来研究有两个因素。

第一，是由于生理的条件所引起的美感。比方我们在广阔的郊野散步，清新的空气使我们心旷神怡。在冬天的时候，我们闲坐在阶前晒着日头，使我们感觉到好像睡在母亲怀抱里般那么温暖。当我们站在海滨看见海水飏着弧形的微波，顺应着我们的目力构成了许多横纹，而它那有秩序的波动则又好像有一种节奏，和我们的血液的循环和呼吸有着自然的调协。这一类的美感可说都是因自然界的动静引起了我们人身内生理的舒适而发生的。相反的，如果是过烈的光线，音响和色彩，使人的机体在生理上发生苦痛的，那么人们一定会觉得这是不美的东西。

不过，这一个生理的条件，也不是静的不动的，比方，一个愤怒的人，他反而极欢迎强烈的刺激，不仅不以此为苦，反而以此为过瘾为痛快。极度悲哀的人，他可以废寝忘餐，而且在他看来，就是最好的花，他亦不会觉得是美的。

第二，是由于生活的条件所引起的美感。一个做粗工的工人他喜欢朴实而厚重的东西，一个做细腻工夫的人，他喜欢纤巧和细致，一个有大志的人喜欢走上高山远望大海，一个悲愤的志士，喜欢听暴风雨的狂啸，一个清闲的文士，喜欢盆栽小景。一个虔诚的教徒，喜欢听半夜森林传来的钟声，一个华装艳服的妇人，在贫穷者的眼中，不仅不能引起美感，反而会引起憎恶之情。总之，随着一个人的生活的不同，以及由生活所养成的情操不同，美感亦有很大的差异，当社会生活向两极化的时候，美感亦成为了两个对立的营垒，而美与不美，更多需要从社会科学去理解。

因为人的每一种感情的发动，都有着社会的因素，因此我们说每一种审美的感觉，都包涵着有社会的因素，有些人认为审美的基础应该是建筑在生理的基础上，社会心理只不过是在这个基础上加以影响而已。其实，把生理的基础之当成静的、不动的因素来看待，那是很大的错误，比方《诗经》上说的“野有死鹿，白茅包之，有女怀春，吉士诱之”，很显然的，异性间的爱慕是属于生理的范畴，然而为什么在那个时候用白茅包死鹿去送他的爱人，成为最出色，最美的事，而在今天会变成很大的笑话？又比方，海水的横波微微荡漾，这在过去是如此，现在亦是如此，它给我们生理上的刺激是不变的，然而古时的人，从这微微荡漾的海涛中看出神的力量，或自然的神秘，而这在现代受过科学洗礼的人看来，可没有了，主观和客观的融和，再不是建筑在宗教的情感上面了。天空里的月亮，尽管是长古如斯，但它给予人们的感情上的启示，从古代到现在，是有着很大的不同的。如果再深一层来研究，本来在生理方面是应该造成美感的，但因为了社会心理所造成的复杂的变化，相反的，它反而造成不美的印象了；有些是在生理方面本应造成不美之感的，然而由于社会心理所造成的变化，相反地反而造成很美的印象，例如刚才举的装饰华丽的妇人，美丽的花束，从生物的观点看她应该是造成美感的，但反而引起了某一部分人的厌恶。又比如死了的人，它是最可嫌恶的，然而有时它反而给人们以最美的最强烈的刺激。比方一个乞丐，一个老者，一个囚徒，无论从他们的容貌，线条，色彩来看都应该是丑恶的了，然而在另外一部分同情他的人看来，由于复杂的意识关系，他竟可以从这些表象里引起了他们的共鸣，因而也感到美丽。

因此美的主观的基础，不应该是建筑在生理的基础上面，而应该建筑在生理的因素和社会的因素之积的上面。

在古代人类和自然之间，只有着简朴的关系，因而那个时候的艺术作品，大都是用朴素的手法来描写自然和描写神，可是随着社会的进化，神的地位被取消了，而且由于人与人之间的关系日益复杂，自然在人类的精神里面也逐渐复杂化起来，到了近代，人与人之间的矛盾，比起人类与自然界间的矛盾还要激烈，还要明显，所以近代艺术也就以包涵着更多的人间性为它的特点。而且因其所包涵之社会意义愈多，则其感动人的力量亦愈大，人类的美感是要以社会的因素为决定的因素，这是无可怀疑的。

至于诗，它是以语言来做媒质的，因此它的美感更多的建筑在社会的意义上，而且在诗里面，主客的统一性更是比别的部门明显。

比方，以我刚才所举的图一和图二的绘画上的例子来说，我们看见图一里的那种倾斜的线条，我们就有危危欲坠的感觉，但在图二，给我们加上一条直线，我们就有稳定的感觉了。其实线条本身并无所谓危危欲坠或者稳定，这种感觉实际上还是从主观的感觉移到那线条上，才会产生出欲坠和稳定的感觉。不过这种感情的移入，当画面一复杂的时候，就很难看得出了。可是在诗里面，这种情形是异常明显的。比方我们说“远山含笑”，其实远山无所谓笑不笑，远山不过是引起我们心里愉快的一个因素，因为我们心里愉快了，把这种感情移到客观的远山上去，于是远山也成为含笑了。这远山的含笑，自然更增加了我们的愉快。这是把客观主观化。又比方说“我们好像飞鸟般自由”，自由显然是我们自己心里的感觉，现在我们借飞鸟来比喻，使得人们直接从视觉上去理解我们复杂的内心，这是把主观客观化。这种例子，在诗里面是俯拾即是。再还有是感觉对感觉的转移也是很多的。比方圆滑，这本来是诉诸触觉和视觉的，可是现在变成为综合感觉的形容辞了。又比方“软软的红玉”，从触觉得来的感觉红玉本来应是硬的，然而这里说它是“软软的”，是因为作者是用视觉去感触这个红玉的。又如“长夜像古洞般深沉”，长夜本来是时间的感觉，可是现在把它转化成视觉和触觉的感觉了。又如“银浦流云学水声”，这是把本来是诉诸于视觉的东西，转化成诉诸听觉了。像这样的一种描写，我们叫它做“诗的真实”。

所谓诗的真实，自然不是科学的真实，不是物自体的真实，而是人们通过自己主观所感觉得来的客观的真实。它的普遍、妥当的客观性，不是在于客观的实在，而是在于人们是否在主观上有同样的感觉，换句话说，诗的真实是要告诉我们：当人们从科学里而知道了客观的世界以后，人们是怎样去感触这个世界的，诗的真实和科学的真实是不会相抵触的，人们从诗的真实，可以更直接的，更多方面的去感觉这个世界，因而同客观的世界建立起更密切的关联。

如果科学的真实，是努力要把主观的成分抽去，那么诗的真实，相反的，是要主观成分越强烈越好，主观所代表的社会阶层，越广泛越好。主观的成分越强烈，它的动人程度就越深，主观所代表的社会阶层越广泛，则受它感动的人也越多，客观的妥当性越大，因而它的诗也越美，其推动人们向上的力量越大，因而它的诗也就越能达到伦理上的善，所谓真善美的统一。

现在我们再来研究一下所谓一首好诗，它是包涵着一些什么意义呢？如果我们把诗这个作品，当作纯客观的东西来研究，那我们一定说它所代表的社会意义，它的形象，它的手法，它的节奏和韵律，它的造句和铸字是如何的美丽如何的正确，并且可以从这里面抽出若干的规范出来（关于作诗的技术问题，我想 Sidney Senir 的 *Science of Verse* 这本名著是相当说得清楚了）。当然这也是一种研究方法。不过今天，我倒想从另一方面来研究一下，即一首好诗，它在读者们的脑筋里，将会发生出怎样的作用。从欣赏者的心理状态去研究作品的价值，至少亦可开辟一些读者们的眼界。

一首好诗，在读完它以后，它将会在读者的心理上造成怎样的状态呢？

第一，在读了一首好诗以后，我们常常会有从有限到无限的感觉，直同中国诗所说“天长地久有时尽，此恨绵绵无绝期”的那种情形。当然我们不相信，那种神秘的哲学，好像人们借艺术之助，可以从有限的世界深入到科学所不能达到的无限的世界去，不过从心理状态说是当时读者的确因为受作者强烈的感情的震撼，而有一瞬即千年之感。因为我手边没有什么诗集，现在只能举出中国几首旧诗来，给读者们参考。

在杜甫的《新安吏》里有下列的几句：“白水暮东流，青山犹哭声，莫自使眼枯，收你泪纵横，眼枯即见骨，天地终无情……”

在鲍明远的《芜城赋》的后面，有几句芜城之歌，亦是很好的例子：“边风急兮城上寒，井径灭兮邱陇残，千龄兮万代，共尽兮何言……”

又如“风萧萧兮易水寒，壮士一去兮不复还……”虽然不过是简单的两句，但我们大家读了以后，不是都有着言有尽而意无穷的感觉吗？……

第二，在读了一首好诗以后，我们常常会觉得诗人正说出了自己想说而没有说的话，因而在读者和作者之间的对立被统一起来，溶合起来，好像成为一体。

比方杜甫的《北征》里：“夜深经战场，寒月照白骨。潼关百万师，往者散何卒。遂令半秦民，残害为异物。

况我堕胡尘，及归尽华发。……”我想凡是经过了离乱的中年人，对这一段都会受到很大的感动的，有些诗之所以会越读越好，年纪愈大，读起来愈觉深刻，这原因就是因为我们的年纪愈大，经历愈多，因而由读这首诗而引起的共鸣愈大的缘故。

第三，在读了一首好诗以后，我们常常会忘记了自己，而走进到诗人的境界里去，精神上跟着作者走，作者如果是慷慨激昂，我们也跟着慷慨激昂，作者如果是歌哭缠绵，我们也就觉得歌哭缠绵。不过这里有一个限制，那就是必须读者的心里先含有和作者共鸣的因素。

例如《楚辞》的《国殇》:“操吴戈兮被犀甲，车错毂兮短兵接。旌蔽日兮敌若云，矢交坠兮士争先。凌余阵兮躐余行，左骖殪兮右刃伤。霾两轮兮絷四马，援玉枹兮击鸣鼓。天时坠兮威灵怒，严杀尽兮弃原野。出不入兮往不反，平原忽兮路迢远。带长剑兮挟秦弓，首虽离兮心不惩。诚既勇兮又以武，终刚强兮不可凌。身既死兮神以灵，子魂魄兮为鬼雄。”

又例如曹子建的五言杂诗中:“飞观百余尺，临牖御棂轩。远望周千里，朝夕见平原。烈士多悲心，小人偷自闲。国仇亮不塞，甘心思丧元。拊剑西南望，思欲赴泰山。弦急悲声发，聆我慷慨言。”

读了这些诗，即使我们不是军人，不是忧时的志士，也自然而然会同作者发生同感。

又如潘岳的悼亡诗“望庐思其人，入室想所历，帏屏无髣髴，翰墨有余迹，流芳未及歇，遗挂犹在壁，怅怳如或存，周遑忡惊惕……”即使我们自己没有悼亡的经验，可是读了这首诗，我们亦会觉得亲历了这种境遇而分享着作者的忧愁。

第四，读了一首好诗以后，我们常常会觉得对于外界的事物更亲切一些，更多一些新的感触。因为作者对于一切事物都有着特殊的洞见（Insight），他能把隐藏的东西，显露出来，比方说：“红红的落日挂在地平线上好像一只烧红了的圆盘。”我们为什么说像个圆盘，因为圆盘是和我们的日常生活很接近的东西，我们把它拿来比落日，在读者的脑筋里，自然会觉得是比较亲切一点。其他如王勃诗“狭水牵长镜，高花送暗香……”，杜甫诗“江动月移石，溪虚云傍花……”，“窗含西岭千秋雪，门泊东吴万里船……”，我们读了这些诗，总觉得这里面包含着有诗人的新的发现。但也有些诗，它只是把客观的现实，很朴素的描写一番，而在这里，读者自己却可以在脑海里构成一幅图画的。比方杜甫的《北征》：“……平生所娇儿，颜色白胜雪。见爷背面啼，垢腻脚不袜。床前两小女，补绽才过膝。海图坼波涛，旧绣移曲折……”读了这一段，我们对于当时诗人的家庭狼狈的情况不是明白如画吗？

目前有许多诗人，或诗的理论家，专门着重于第四项的前者，好像只有这样写才算得是形象，这真未免把形象二字解释得太狭隘了。

从以上所说的论点看来，我们可以知道，把自然的美景精细的描写一番，不能算是美，以前人用过了的美辞丽句掇拾起来，不能算是美，把主观的意识勉强用外在的事物来比附还不能算是美。诗的美乃是突入于现实去震撼读者的灵魂的东西啊。

二　论诗的形象化

“形象化呀，形象化呀！”这似乎已经成为了一切文学部门中最流行的口号，而诗人们也在说“诗歌的目的就是在把思想和感情形象化！”于是文艺青年们提出新的问题来了：“要如何才能够使我的思想和感情形象化呢？”甚至有些人整天都在苦心焦思。他说：“我现在每天都在睁大着眼睛，竖起着耳朵，追求着形象啊，但我们还是作不出好诗，怎么办呢？”

显然的，读者们已经在我们面前提出了新的问题，而我们是再也不能装耳聋，照旧“形象化呀，形象化呀”卖着旧货。本文的目的，乃在于初步的来解决下列的两个问题“什么是形象？和如何去获得形象？”

首先是答复什么是形象化的问题。这个问题本来是很清楚的！然而目前正流行着许多种误解不能不先把它扫清。

所谓形象化是不是就是把客观的世界加以精细的描写的问题呢？或是说多用些比喻去把读者们的感觉再延伸一些的问题呢？如果是前者，那照相机岂不是要比我们诗人的脑海聪明？如果是后者，则只要我们的诗人肯降级回到中学去读一下修辞学也就得了。这样的来理解形象化的问题，显然是十分糟糕的，因为他完全把形象化的问题，当作为对自然的摹绘，或是当作技术问题来处理，好似形象是沙里面的金子，只要向沙堆里去耐心地爬，自然就可以找到金子。

曾经有一位诗人指示给我们一些写诗的方法，那就是“再具体一些呀，再具体一些呀！”依照他的说法，大概“我十分忧愁”，我不如说“忧愁到晚上闭不上眼睛”，或不如说“忧愁好像有火在烧着心头”，因为最后一句，是更具体一些。于是作家们尽量去具体一些了，日夜在醉心于铸词炼句，然而正因为句句都想要做到具体，作者反而给这具体二字所拘束着了。一首诗成了许多形象的罗列，无生命的形象的罗列。其实这完全是机械的理解了形象化的意义，即以“十分忧愁”这一句话来说，它之是否具体，是要从它的前后文的意义来决定的，正如“打倒日本帝国主义”虽然不过那是一个抽象的口号，但假如我们用得适当，使这句话真的成为从心坎里呼出来的声音，那么这句口号仍然是很动人的。难道我们一定要把这一个现成的口号，改成为“打倒血腥的日本帝国主义屠夫”才算具体么？所以诗人在创作的时候，他所最要注意的倒还不是在这句话，这个字是否用得具体不具体，因为这都是第二义的事情，而最注意的，乃是在如何去更贴切地表现自己的情感，因为最能表现自己情感的东西，常常也就是最具体的东西。

还有一种误解，它以为所谓形象化，只是对外在世界的具体的描写，而内心的申说，作者自己亲身的经验和信念则是抽象，要不得的东西。然而事实上，一个人内心的抒发又不必一定是要借世界的物象来比附的。比方说“老冉冉其将至兮，哀岁月之不吾予！”这两句话从表面上看，似乎并不具体，可是它是直诉于人们的感觉的最具体的东西，它是作者切身的经验。又比方“老骥伏枥，志在千里，烈士暮年，壮心未已！”这后面两句话，表面看起来是并不十分具体，然而它却是很有力量的抒情。

所以形象化，并不简单是如何去把自然摹绘，如何去具体的形容，或是拿内心的感觉用外界的物来比附的问题，更不是把思想和感情形象化一下的问题。所谓形象化，事实上是和诗人的生活思想血肉相连的。诗人不仅通过自己的世界观和人生观去观察、选择、排列和组织这些形象，而且通过这些形象来表现着诗人自己的人生观和世界观，诗里面的每一个形象都渗透着诗人的主观成分，因此每一个形象都是主观和客观的统一，不是机械的统一，而是有机的统一，它是对客观的描写，但同时又是主观的抒情。比方苏曼殊诗：

春风细雨红泥寺，不见僧归见燕归！

你说这两句诗是客观的描写呢？还是主观的抒情呢？显然的，它既是描写，又是抒情。这种情形，在我们中国的绝句诗里可以找到很多的例子，而在这里面亦正有不少可以值得我们的新诗人学习的地方，凡是一首诗，它如果能够以最简括的句子来描写客观，而同时又能表现最丰富的主观的情愫，那它一定是动人的好诗。

再进一步说，这里所谓主观和客观的统一，同时也是社会和个人间的统一。如果一个诗人的诗，只是纯粹的抒发自己个人的情感，那是不能成为艺术的。在过去，诗人由于受到生活的限制，社会科学知识的限制，他的思想和感情不能不囿于某些集团的成见，他的感觉和趣味，不能不沾染着某些集团的习气，而他的诗也就自然而然的为某些特定集团所了解，所欣赏，所享受。其所反映出来的现实也是偏颇的，不圆满的。及到他的末世，诗就成为了个人宣泄感情的玩具。因此从艺术的见地说来，他是畸形的，怪异的病态，而从社会学的见地说来，他是歪曲了现实。只有到了近代，社会科学已发展到了高度，新的诗人已能把握社会发展存在的规律，而且明了他自己所处的社会地位，只有当新的诗人已不仅是空空洞洞的只有着一些模糊的正义感，而且能意识的承认自己是一个战斗者，而其所具有的世界观和人生观又不仅是代表着某些特定集团的利益，而且同时也是代表着全人类的利益，只有在这个时候，诗里面所反映出来的现实，才是最客观的现实，也就是说主观和客观之间，社会和个人之间才能获到最圆满的统一，而从这个正确的世界观和人生观产生出来的形象才是最圆满的形象。

因此批评家们强调着诗人的社会意识之重要性，一般的说，这是很对的。然而很不够，文艺家从正确的人生观和世界观出发，从许多的事象当中获得某种观念，再从这个观念具体化成为许多的人物和个性，组织成错综复杂的故事。读者复从这些具体的形象当中，获得中心的观念，而与作者发生同感。这是普通文艺作品的创造和欣赏的过程。所以说，一个文艺作家，他不仅需要具备着哲学家和社会学家所应具的知识，和有借这些知识之助去了解人与人之间的内在关系，以至于每个人内部心理的技能，而且还要比哲学家社会学家更多一点，他需要能够把他的主题形象化：他需要敏锐的感觉，很强的记忆力和组织力，铸造成各种各样的活生生的人物。

然而作为一个诗人，具备着这些条件还是不够的。他必须具备着突入于现实的热情。小说家常常是先有了主题，然后去找寻人物和题材，然而诗人则不是这样，他常常从一个具体事件的感触，把自己的情感喷发开去，从这些感情喷发当中，铸造出许多美丽的形象。所以诗，比起其他的文艺部门来是更主观些，然而也更接近于现实一些。诗人的这种冲动，我曾特别给它起了一个名辞，叫做诗的本能的冲动。再举一个具体的例子来说。一个小说家，他可以肚子里先有一个概念，要描写一个上层分子叛国的事件，从这一个概念出发，他就搜集一些汪精卫，曾仲鸣，萧淑宇，这些汉奸的材料，揣摩这些人物常时的心理状态，体念着大小汉奸们的性格，一步步的把故事发展开去。但是诗人，他的创作常常是（并不必一定是）由于某种叛国事件触发了他对于汉奸的本能的憎恶，也就是从这一个强烈的憎恶之情发展开去，造成形象。当然小说家和诗人的创作方法是不能截然划分的，然而这两者之间有着一定的距离和各有各的偏向，这是事实。诗比小说含着有更多的感情的成分，因而也就和生活更切近，这也是事实。

我所以要指明上面这一点，原因是因为我觉得目前正有许多的诗人，用写小说的方法去写诗，或是写散文的方法去写诗。而批评家们也常当只注意到意识正确和形象化，而对于由正确的意识转变成形象的过程，则很少说明。所以现在有许多诗，你说它意识不正确吗？意识是很正确的。你说它不形象化吗？它是很形象化的。然而读起来，老是味同嚼蜡，它只是正确的意识加上形象，如此而已。为什么会这样呢？写到这里令我想起了英国批评家拉斯金的说话，他说，在文艺作品里面必须要有一点东西（Something），我想，我们目前的新诗也正是缺乏着这“一点东西”——那就是热情（Pathos）。

没有这种热情，并不妨碍一个人做一个好的小说家，可是没有这种热情，那是诗人的致命的损害。现在的诗之所以缺乏一股吸引读者们的热力，也就是因为它缺乏这种 Pathos，在此诗里的形象，看起来好像是根据着正确的意识伪造出来的。这种情愫是目前中国诗人们的通病，就是作者本人也不能例外。

从这一点推论出去，因此我认为目前批评家们（每）日挥着"意识正确"底鞭子在那里鞭挞作者，是不对的。特别是当目前正义与不正义苦斗的时候，当我们发动着广泛的民族战争的时候，假如我们说，没有正确的意识就不能够有好诗，那是不对的。不，事实并不如此。虽然他所反映的现实，难免有些歪曲的地方，不完满的地方，主观的情愫上有些不健康的地方，但是只要他是拥护真理和正义，他的诗必然的能够反映一部分的现实。因此对于这些人，我们只要从艺术的见地，去更多的表扬他们的成功，用更客气的批评，指明他们的不足，用更同情的态度去理解作者的出身，他的演变的足迹，和他的创作的苦痛。如果一个批评家，老是老气横秋的搬弄着几个社会科学的名词，左一个不正确，右一个不正确，那是很难令人心折的，特别是当文艺运动正在广泛地开展的时候，这种态度是很难动员无数的年青作家努力去写作的。正确的意识并不是拿着教鞭子教育得来的！我想只要是一个有正义感的作家，努力求真理的作家，他会从实际的生活当中，去证明究竟是那条路才是正确。

第二个问题是如何去获得形象。形象是不是如某些青年朋友说的，每天睁大了眼睛，竖起了耳朵就可以获得的呢？我想问题如果是这样简单，那谁亦会睁大眼睛，竖起耳朵了。现在我在这儿只提出几种提示，具体去说明，形象是如何地产生，虽然这些提示并不能一定担保每个读者读了以后都能获得形象，但是至少亦可以让他们知道，追求更丰富的形象所应遵循的路径。

第一，形象是由诗人对于外在世界的紧张关系得来的。“愤怒制造了诗人”（Anger makes a poet），这句话是不错的。当一个人在愤怒的时候，整个世界都好像变了颜色，就是在这样紧张的感情颤动中，许多最美丽的，最丰满的形象从诗人的笔下迸裂出来。同样的，当我们恨一个人的时候，我们常常整晚睡不着，想用一切最丑恶的辞句去描写他，糟蹋他，侮辱他，用最丑恶的形象去比附他，当我们爱一个人的时候，我们又常常从她的人身，甚至从人身联想到她的用物，衣饰，嗜好，都不惜用最美丽的辞句去描绘她。这些紧张的情愫正是形象的母亲。而且也只有在这样情形之下产生出来的形象才真正是活的形象，有生命的，新鲜的形象，有激动性的形象，能给予这个世界以美丽的颜色，灿烂的光芒。所以真正的诗人，他并不是用笔去写一些陈辞滥调来炫示自己的博学，也不是作些文字上的艺术去炫惑人们的耳目，他是要以最崇高的心情去和一切的恶势力搏斗，从这个搏斗的过程中，呼出他自己心坎里的声音。他的感情紧张的程度越高，他的诗也一定越美丽，而诗的动人的程度也愈深。一个诗人要为天下人之忧而忧，为天下人之乐而乐，而且要为天下人之忧乐而忘记了自己。如果一个诗人对一切都表示冷淡，或是漠然旁观，或是作一些微温的无力的叹息，一切都首先从自己个人的利害去考虑，那么，即使他整天去追求形象，然而他所求得的也一定是无生命的形式美，对于他的诗是丝毫没有帮助的。

以上这一点，是产生形象的最基本的因素。以下几点是比较属于技术的部分，但也不妨附带的说一说。

第一，形象是由于重复与熟习而发生的。一个农村出生的诗人，常常喜爱写农村，因为他从小就在那里长大，他对周围的环境太熟习了的缘故。比方，我们最先对于某一个人，本来是没有什么兴趣的，但是由于和他不断的发生关系，我们不仅知道他的外面，而且知道他的内心，和他的历史。因而我们对于他也就逐渐发生了兴趣，印象也逐渐的加深，直到后来，一闭起眼睛也能够想起他的动作、容貌和心理，甚至于其中最细微的去处。从这些深切的了解中，诗句开始抓到了其中最有典型性的东西构成形象。苏联作家在苏联建设期中，就常常成队的参加工厂里的生产，其目的自然是想从不断的重复与熟习中产生具体的形象。

第二，形象是从生活的需要酿造出来的。一个饥饿的人是最注意食店门前挂的香肠，并且他能够对于那条香肠之大小，颜色，味道，和香气都加以最丰富的想像，和最确切的描写。同样一个冻坏了的人，对于衣服和火炉的感觉最为敏锐，同时对于它也有着许多想像。又比方一个初到桂林的人，如果他是从重庆来的，他一定从桂林和重庆的比较中产生出许多印象。从香港来的，他一定从桂林和香港的比较中产生出许多印象。住惯了好房子的人，一到桂林来，马上就注意着桂林那些好房子的结构，地位，和设备。从这些印象中酿造出他对于桂林的形象。不过这是最简单的形式。在资本主义没落期里面的诗人，爱用酒精和色情来刺激自己，从而也就在这里面创造出形象。在另外一方面，一些从贫苦出身的诗人们则爱歌颂着战斗，苦难。他们是基于另外一种需要来产生出形象。十九世纪初期的诗人，他对于现状有许多的不满，对于将来有着许多的憧憬，他渴望着将来的光明和自由，因而他对于未来的光明和自由产生出许多的形象。当然从生活的需要转变成诗的形象，这中间是经过许多复杂的心理的过程的。

第三，是由于心理学上最初因和最后因所激起的感情的变化，因而产生出来的形象。比方一个人久住在一个城市里面，他对于周围环境的感觉，便渐渐的麻木起来，但一当他要和它别离的时候，他马上又会觉得有许多的感慨和留恋，对于自己习见的一草一木，都好像是有情。从这里，他又可以创造出许多的形象。同时相反的，每当一个诗人新到一个地方，他必然会有许多新奇的刺激，许多新鲜的感觉。生活之多样化和紧张化，也就是丰富的形象的泉源。一般的诗人们喜欢要流浪，到处去奔波，大概想免除生活上的单调，找寻刺激也是其中的一个原因。

自然这里许多制造形象的因素是互相错综着，移转着，我们是很难指出那些人的某些诗句，是从怎样的环境之下产生出来的。然而如果我们可以获得一些诗人的详细的传记，知道他是在怎样的环境下，和在什么心理状态下写出某些几首诗，那我想一定会对于后代的诗人有很大的帮助。可惜的是我们的批评家，现在还在那里忙于挥动着“意识正确”底鞭子，而对于这一方面的研究却是来得太少了。

一九四二，六，十二日

诗歌的民族形式问题之我见

在《文艺战线》第五期上面，我曾拜读了萧三兄的《论诗歌的民族形式问题》，我觉得有几点意见不能不提出来大家讨论一下：

第一，萧三兄认为“中国的新诗一直到现在还没有成形”，我想这未免过于抹煞了自五四运动以来文艺运动之成绩。诚然，我们的诗歌直到现在还残存着许多缺点，可是我们现有的新诗已比唐诗元曲前进了一步。因为这些都是跟着一般的文化运动上之“民主主义和科学”运动一道来的。萧三兄对于一九二三年前后的新诗“首首离不掉伊，句句抛不开爱……”觉得十分无聊。诚然在我们目前看起来也许是无聊的，不过，我们如果知道，恋爱问题之当作为社会问题而被提出，是在资本主义勃兴以后的事情，在封建社会里面，女子之附属于男人，完全是“天经地义”，根本就不能成为问题的，所以从历史的见地说来，当时的恋爱诗，实际上就是反映着那个时期反对旧礼教，反对盲目婚姻的一种革命运动。我们并不能因为诗是“恋爱”的，而忽视了它当时所以产生的社会背景，和它当时所起的革命作用。

第二，对于旧诗的估计，我也不敢赞成萧三兄的意见。萧三兄举出了一二首好的旧诗来，因此就好像认为旧诗这种形式还是要得。我的意见倒不是这样。我认为现代的人也许能够作一些好的旧诗，可是这种形式究竟是太旧，不能成为我们今天诗歌运动的模范。我们都知道，中国现代的文学，一定要根据于现代的语言，假如我们更深刻的去研究一下中国近代的语言，并把它和中国旧诗对比一下，那么我们就可以感觉得到，这两者之间的距离是非常之远的。再把民间的文学和中国的五言七言旧诗比较一下，那么我们也可以同样的发现，民间的歌谣绝对没有旧诗般那么严整的格律：它已经有了“自由”的倾向。

此外，自从鸦片战争到现在，这一百年以来，中国的语言因为受到外来语的影响，已经起了很大的变化，到了今天，我们即使要写一篇很通俗的论文，我们甚至都不能不用些“意识形态”，“安那其主义”之类的复音名词。如果把这些复音名词应用到五言七言的绝句诗上，那么，这首诗一定会只变成名词的排列，此外再没有什么。所以中国新诗之所以产生，一方面是受当时整个的新文化运动之推动，另一方面，则是受着中国的近代而言之制约，绝对不是由几位新诗人“自由”尝试成功的。

第三，萧三兄认为“发展诗歌之民族形式应根据两个来源，一是中国几千年文化里许多珍贵的遗产，和民间的文学……”萧三兄把最主要的泉源忘记了。我觉得在这里应该有一个补充，那就是应该把五四运动以来诗歌的收获，以及世界文学所给予我们的丰富遗产放在民族形式的泉源里面去。我们知道，我们中国是世界的一部，近百年来中国的历史，总是同世界的历史息息相关。同样在文化上我们正应大量输进外来的文化作为发展我们的民族形式之一个最丰富的泉源。

在俄国，彼得大帝的时候，因为彼得大帝醉心欧化，大量的输进了西欧的科学和艺术，结果，有一个时期，俄国的文艺作品充满着许多非俄国的生硬的东西。可是后来由于俄国文艺本身的成长，于是这些外来的，生硬的艺术，结果经过一番消化以后，遂变成为俄国文艺的不可分离的一部。所以我觉得五四运动以来的诗歌，诚然有许多缺点，应该否定，可是我们否定的乃是在它的“买办性”，它的机械的模仿性。至于一部分被我们中国化了的东西，那才是最宝贵的遗产。

我们要介绍莎士比亚，我们也要介绍歌德和普希金，我们介绍他们，并不是洋博士般当作为我们模仿的对象，而是当为发展我们民族文化的阶梯。

五四运动是中国民族意识觉醒的标志，同时也就是第一次欧战爆发后，中国资本主义的文化发展的信号，它把中国的过去封建文化予以否定。即在诗歌方面，虽然在形式上未免有些粗野，但从它的内容说来，未尝不洋溢着革命的朝气（如郭沫若的《女神》等）。

虽然到了后来，其中一部分流于颓废和形式主义，可是左翼文艺却又继承了这个革命的文艺运动的传统。所以今天我们如要谈到继承过去的传统，那么我们就应该更多的注意到五四运动以来的文艺上的成果。这即从运动的本质上说，争取民族独立，和争取民主的基本任务上说，也没有什么不同的。所以与其到封建主义文学里面的《离骚》那里去汲取新鲜的血液，倒不如向拜伦那里，向玛耶可夫斯基那里去汲取更多的新鲜的血液。新的中国诗歌应该承继世界的优良的传统，同时也应该承继这十余年来已经中国化了的新文艺的传统。

当然我们也承认过去的“新诗”之过于形式主义，我们也承认过去的新诗过于欧化，不适合于中国人的口味，我们也承认我们的文艺必须更加展开，一直普及到下层，我们也承认我们必须反对过去的，脱离开了中国民族的立场，离开了中国大多数人民的需要，离开了中国语言的自然的韵律的生吞活剥的西洋崇拜，可是这和我们在基本精神上要承继五四运动以来的民主和科学化的文艺传统并没有妨碍。

最后说到诗歌民族形式的两个泉源中，萧三兄指出“一是《离骚》，诗，词，歌，赋，唐诗，元……”“二是广大的民间所流行的民歌，山歌，歌谣，小调，弹词，大鼓，戏曲……”我想这两点都是对的，可是我觉得我们今天不应该把《离骚》、诗词和民歌、山歌并列。因为《离骚》、诗词距离我们今天的生活太远了，而它的韵律和我们今天语言也已有了很大的差异，我们觉得今天我们谈文艺的民族形式，绝对不应对中国古代的文学存着过大的希望（虽然我们未尝不能从它那里学习一点东西），我们必须谨记语言才是文艺的母亲，而语言又是与民族生活血肉相连的一部分。谁要是把中国古代的诗歌当成为一种美的形式来崇拜而忘记了它之所以美是因为它能表现当时的人民生活，而又构成为人民生活之一部的缘故，那谁就走上了形式主义的陷阱。也正因为这个缘故，我们今天应该着重于能表现今天中国人民的生活，和表现今天中国人民的要求的那些山歌歌谣，而不应该过分重视那些只能表现过去的人民生活的那些诗，词，歌，赋。

当然，我们也赞成萧三兄的意见。即对于这些民间文学，我们还得批判地接受，因为在里面正有不少由士大夫所创造出来的“为民说教”的封建的文学，这种封建意识的内容，当然也会影响到它的形式，所以如果认为只要把其中作为内容的意识否定，而无条件地接受它的形式，同样的也是最大的错误。

这是我对于中国诗歌之民族形式问题的一点意见，未知萧三兄以为如何？

诗歌创作的方向

诗歌的创作正和其他的艺术作品一样，需要自由，并要使每一个作家都能充分地发挥出他的独特的作风，这是对的，可是这并不妨碍我们在创作上规定出一个方向，制定一个纲领。

在美国十九世纪初期的超越主义（Transcendentalism）是曾经有过三条纲领的。美国近代的意象主义者们（Imagist）也建立有六条原则，即我们中国在五四运动时代也曾有过胡适之的“八不”主义。在这里我们可以看到每当一个新的时代，作家们为了避免过去文坛的因袭的传统，而有意识地去开辟新的文艺作风，某种创作的纲领是十分必需的。

可是这种纲领并不是诗歌上的一种“统制政策”，它不过是几个原则上的规定。它的参加者是完全出于自愿，而且他之所以遵守这个纲领，完全是因为他已经有了一个创作的目标，因为他自己愿意以这个纲领来强迫自己找寻新的作风和新的手法。可是他并不勉强去拉另外一个创作方向的诗歌创作者。所以诗歌创作纲领之拟定，并不妨碍创作的自由。相反的，它可以把诗歌运动推上新的轨道，举个例来说：在我们目前讨论诗歌问题也讨论了不知多少次了，在讨论会上似乎大家都没有人反对诗歌的大众化，可是一从创作的实践上看来，那么我们就觉得，有些主张现实主义的人所写的诗，并不现实，他不从正面去看现实，而要从小洞里去望现实的背脊，或隔着一重轻纱去望一望现实的侧影，主张诗歌大众化的人创造出来的诗，有些也许是千奇百怪比《诗经》《离骚》还难懂。这样理论与实践脱了节，理论也就变成为无用的东西。

这个现象的发生，大概是如此的：朋友们大家座谈起来，于是你一首诗，我也一首诗，凑拢来就是出一本刊物，这种诗歌刊物既没有一定的主张，也没有一定的方向，从象征主义到未来主义……什么都有。当然代表多种多样性的综合性的诗刊我是并不反对的，可是作为一种诗的集团来说，也应该有这一个集团的独特的作风，不然这种集团就失去其存在的意义。很可惜的直到现在为止，中国的诗歌集团，还是不脱离地方的私人的关系，大家比较谈得来的成一个集团，而另一堆比较谈得来的，又是一个集团，然而根据着同一的创作方向，根据着同一的创作纲领而组织成功的诗歌集团却还是很少见。这的确是诗歌运动上一个很大的缺点，如果这样做下去，诗歌运动只能够任其自然生长，大家都以满足发表欲为第一义。

尽管“大众化”呀、“现实主义”呀，闹得发昏，可是在各种诗的刊物上照旧是新的旧的、可懂的与不可懂的诗歌混杂地排在一起，重复地出现在读者的面前，结果理论还是等于理论，可没有作品！

所以今天作为中国诗歌集团之一的中国诗坛，应该建立一个创作的方向和创作的纲领，并以此为标准，作为今后选稿和批评的立足点是十分必要的。投来的稿子如果不适合于这个方向，那么虽然照一般观点看是好的，可是我们还是不给予发表，宁可把它转介绍到别的诗刊上去，如果社员的来稿，那么也就应该集体讨论一下，建立诗歌创作上的民主主义，根据着每一篇作品来讨论，究竟要怎样创作才能适合于我们的纲领，才能够更接近于现实，亦只有这样，我们的诗歌理论才能成为诗歌创作上的指针，而不是搭空架子的“批评家”的理论。

根据着一定纲领来出诗刊也许在最初会遭受许多人的嘲笑和不惯，可是在这里我们不妨回忆一下五四时代，提倡白话诗的情形。在当时白话诗并不作得好，受了很多人的嘲笑，这是事实。可是这些刊物是非白话诗不登的，而且有许多作家能作很好的旧诗也还是不作，这样经过了些开荒者们的努力，我们究竟建立起新的诗歌传统了。

现在我们同样是处在这飞跃的时代，那么我们为什么不能再来一个像“八不”主义般的纲领呢？虽然在最先开始的时候要免不了幼稚，可是只要我们的方向是对的，是和这个时代合拍的，那么我们终有一天是要成功的。

直到现在为止，在我所看见的诗歌集团中，除了出刊物外，似乎都没有什么团体的生活，也没有什么纲领，所以我也就从来没有参加过什么诗歌集团，不过为了使诗歌运动真正能成为一个运动，我倒有以下的几个纲领提出作为诗歌创作者同人们的参考。

1. 要接近大众的口语，不用离奇古怪的字句。

2. 要明白易懂，不要矫揉造作。

3. 抒情诗，更应多承受旧诗歌的言短意长的情调。

4. 抒情诗，一定要通过个人的情感中看出它的社会意义，避免单纯的个人主义的伤感主义。

5. 要就语言艺术的诗歌所许可的范围内去找寻新的手法，不在这范围以外寻求手法。

当然这几条，不过就个人所能想到的发表出来，其中也许还有许多我没有想到的，需要大家来补充纠正。

诗歌的手法及其他

是的，诗人应该有自由来选择他自己诗歌创作上的手法。而且从根本上说起来，手法是和作风有着不可切断的关联，这是很明白的。

可是，这个自由也并不是没有限制的。大家都知道诗歌是以语言来做媒质的，因此诗歌也就不能不受着语言本身的规律所制约，所以提到诗歌工作者面前的手法问题，实际上也就是怎样运用这个语言艺术的问题，而不是从这个语言艺术以外去找寻手法的问题。

绘画的媒质是色彩与线条，音乐的媒质是音调与节奏，雕刻是诉诸人类的触觉和视觉，这些艺术，因为它们所以表达自己的思想和感情之媒质不同，所以他们处理题材之手法亦是不同，如果一个艺术家不从自己所能运用的范围内去运用手法，而却从别的艺术部门里去找寻手法，这不特是表现了自己对于这一门艺术的无能，而且还表现了自己的内容的贫乏。

是的，语言本身是没有什么美学上的价值的，它并没有色彩和曲谱，可是当它成为了传达人类的某种思想、感情和感觉符号的时候，它却成为美的了。所以诗歌工作者的手法就是在于如何撷取语言中的精华，并把它按照自己所想像的排列起来，布置成一种氛围，使读者亦能发生和作者一样的同感。

语言是复杂的社会生活的宠儿，所以它能表现的世界亦最复杂，最微妙，最富有社会的意义，诗人应该是语言的主宰。如果一个诗人，感觉到自己的语言不够来表现自己的思想和感觉，而不能不乞灵于符号，公式，排版的式样，和词句的颠倒，那么那位诗人一定是语言的糟蹋者！

从前也有人说过，王维的诗，诗中有画，但是实际上，所谓诗中的画，一定不是图画家的画，诗中的画是不用颜色、线条、光黯去表现的，而是用语言间接去传达出某一种图画的意境。如果真的有一位诗人硬想用诗歌来代替图画，那一定是失败。也有人说，在某人的诗中，音乐的意味很浓，但这并不是说诗就要变为音乐，因为音乐是把语言人工的强调成某种曲谱的，而诗歌的基础却是始终建立在语言的自然韵律上的。所以各种艺术部门尽可有交流之处，但这并不能混乱了各艺术部门的特有的手法，如果勉强做去，结果，就只有失败。

问题不妨拉远一点，就拿绘画来说一说吧。大家都知道印象派的画家是以自己主观的印象强烈的放到画面上去的。到了后期印象派的时候，他已经开始以画某种特殊条件下的对象为主了。比方他们画巴黎，他们是要画雨中的巴黎；画野外，他们是要画强烈的阳光下的野外，把许多花都画成白色和紫色，同时还把空气和日光都画进画里面去。可是由后期印象派再跑远一点，于是画家们企图连时间也画进画面上去。比方画一个月下的园林，那喷水池的水花上却涌出一个美人的半面。显然的这个半面是由于画家想把当时的幻想和追忆也放到画面上去。——这已经可以说是有点怪异，可是到了后来更进一步的所谓未来主义，那简直就要把不同序列的时间，一股脑放到这空间的画面上去，于是在这些画面上就拉杂的画了许多东西，而在别人看来也就很难了解它的妙了。一个空间的平面的艺术，想以时间艺术的办法来处理，结果自然只有失败。而且一个画家不企图用色彩和线条来表露出人类的内心，表露出人与人间之关系，而专从技巧上手法上去用功夫，这在艺术的见地上说来亦是很少价值的。

绘画上的这个道理，同样的也可以应用在诗歌上。一个诗人如果离开了自己真实的情感，而专从技巧上，手法上去用功夫，结果我们所能看见的只会是一堆所谓“美丽”的词句，根本上触动不到读者的情感。

在这里我们不妨来提一提一位朋友在诗刊上发表的《春》，这件事虽然是过去，但因为代表着诗歌工作上的一种方向，所以我们还得来简单的讨论一下。

我认为这位朋友那首诗所用的手法，并不是诗的手法，而是电影的手法。用照相机般的眼光，看一看茁芽的树木，看一看水上的游鱼，看一看街头的风景线，然后把这些许许多多的印象加了起来便成为了“春”。可是在这里，这位朋友忘记了，电影是诉诸于画面上的线条，构图，明暗，动作的艺术，它和诗歌之诉诸于语言是不同的。第二，这位朋友忘记了就是在电影上面，这些一幅一幅的风景镜头只能是某种事件的背景，而不能成为一种独立的“艺术的单位”。第三，这位先生忘记了，诗人的任务并不仅是用敏锐的感觉去摄取许多事物的印象，并把这些印象强勉的连系在一起；不是的，诗人的任务乃是把客观存在着的许许多多事象，经过主观去融化它们，然后重新把它们排列起来，成功为一个作品世界。一首很好的抒情诗，一定是主观和客观的统一。如果我们只把水上的游鱼，枝头的飞鸟，一件件的描写出来，而同时却不能从这些事物里透露出主观的一种意境，情调，那么这些事物只能成为淡然寡味的存在。

所以 ×× 先生如果以手法选择的自由为理由，来作为他这首诗的掩护，那么我想他这种手法已超出乎诗歌的手法范围以外去了，一个伟大的诗人是决不以新奇的手法来向读者炫示的。

在 ×× 先生的文章和言论中，他似乎是很替象征主义辩护，也许 ×× 先生以为他的诗，也是象征的一派。可是就是在这一点上，我还是不敢苟同。

我得首先说明，× × 先生的诗，和象征主义真是相差得太远，如果说他是意象派和未来派的混血儿，倒似乎会有点像。

至于说到象征主义，我同意 × × 先生的意见，即象征的手法并不是象征主义者所专有，因为诗歌既然要以最简单的语言传达出最复杂的情愫，自然不能不用些象征的手法，这是对的，可是如果把象征当成为一种作风，当成为作者的思想和情感之外，凝成为一种主义，那我可反对。我之反对它，并不是说象征主义在诗歌创作上没有过贡献，并不是说它没有艺术价值；我之所以反对它，是因为我们今天的中国实在不应该把象征主义当成为创作的方法来提倡。

第一，象征主义的内在的根据常常是颓废，忧郁和伤感，如果没有这一种情愫，那么就很难写成功一首好的象征诗，而且象征主义的诗人常常是过分的依赖于自己的感觉的。第二，象征主义的诗人，常常不愿意正视着当前的事物，而却愿意在某些小的事件中，依赖自己敏锐的感觉去转折的思想，所以象征主义的诗，不适合于抒写大的题材，而极易流于纤巧。第三，象征主义者所用的手法总是多用微妙的比附，可是这些比附都是为今天终日忙碌于实际生活的大众所难于了解的。因此象征主义的诗也就很难做到大众化。

目前中国的大众是需要率直而雄伟的，简单而有力的诗歌。一切淫靡于技巧，吞吞吐吐的诗歌，在今天是不得提倡的。

用象征主义的作风，能够写得出《峨得赛》般的叙事诗出来么？用象征主义的作风能够写得出《浮士德》（*Childe Harold*）这一类的诗出来么？我的答复是："不能！"

论屈原的诗

一

屈原是中国第一个诗人，同时也是中国最伟大的诗人。

《诗经》是流动的口传文学转变成为固定成形的文学的开始。但是这些诗大都是出自民间的歌谣，或是聪明的歌者临时的口占，而没有明确的作者。到了春秋战国时代，商品经济逐渐发达，个人的意识亦随之抬头，而且战国当时，因为受矛盾复杂之环境所冲激，因而精神上也就形成了各种各样的思想流派和文体。就是在这个时候，产生了我们中国的诗人之父，这是不会没有理由的。以前胡适之会假定，屈原不过是历史上传说的人物，但我们只要看在屈原的诗篇里如何贯穿着个人的色彩，而我们就可以知道，胡博士的这种假定是毫没有根据的。

屈原是中国最伟大的诗人，这就是中国旧时的文艺批评家也是承认的。刘勰的《辨骚》上曾有以下的几句话：“…… 故能气往轹古，辞来切今，惊采绝艳，难与并能矣。自九怀已下，遽蹑其迹，而屈宋逸步，莫之能追。故其叙情怨，则郁伊而易感；述离居，则怆怏而难怀；论山水，则循声而得貌；言节候，则披文而见时，是以枚贾追风以入丽，马杨沿波而得奇，其衣被词人，非一代也。故才高者苑其鸿裁，中巧者猎其艳辞，吟讽者衔其山川，童蒙者拾其香草！……”这里刘勰很明白的指出中国后代之诗人多只能发扬屈原的诗的某一方面，只才高者，才能“苑其鸿裁”。

然而事实上，中国的历史，并没有养育出比屈原更大的高才。

东汉以后，佛说东渐，这更影响了中国读书人的思想。在中国传统的封建制度下面，中国的士大夫只成为了统治者的附属物，或点缀品，他们很少有独立的思想和人格，朝廷以文取士，更造成为官而艺术的风气。从士大夫出身的诗人，只知道忠于朝廷忠于国君，然而对于民间的疾苦则很少关怀。的确，除了杜甫以外，我们很难找到屈原的“长太息而掩涕兮，哀民生之多艰”，或是“宁溘死而流亡兮，余不忍为此态也”这一类诗句的。

无可掩饰的，屈原以后的中国诗人，最大多数是和人民的生活脱节，和人民的情感隔膜，而这正是解释了为什么中国的后代的诗人始终追不上屈原，而他们的诗，如果和屈原的诗篇比较起来，那真是太贫瘠和乏力了！

在这里，我们不妨把班孟坚对于屈原的批评引来看一看。因为他的批评正可以代表中国士大夫的典型的意识，就是这种意识束缚着中国后代诗人的精神上的发展。他说：

……且君子道穷，命矣。故潜龙不见，是而无闷。《关雎》哀周道而不伤，蘧瑗持可怀之智，宁武保如愚之性，咸以全命避害，不受世患，故《大雅》曰：既明且哲，以保其身。

斯为贵矣。今若屈原，露才扬己，竞乎危国群小之间，以离谗贼，然责数怀王，怨恶椒兰，愁神苦思，非其人，忿怼不容，沉江而死，亦贬洁狂狷景行之士，多称昆仑冥婚，宓妃虚无之语，皆非法度之政。经义所载，谓之兼《诗》《风》《雅》，而与日月争光，过矣。

中国诗人陶渊明不就是深知明哲保身之义的吗？然而拿陶诗比起《离骚》来，那真像暮年人的叹息。

至于中国过去的一般末流的文上，一提起《楚辞》便认为是忠君爱国。美人香草之辞，那真是要用刘勰的话来说是“童蒙”之徒了。

二

屈原的诗为什么是伟大的，这里我们得进一步来研究一下。

首先，我想，屈原是一个忠实于自己的信仰，固执着他自己的信仰，而愿为这种信仰奋斗的人。他有自己的政治主张，并且深信他的主张能挽救祖国。

秦强楚弱，秦用外交手腕，威胁怀王入关，屈原是一个反秦派，所以他断然反对怀王对秦妥协，迨怀王入关不返，他更视为一莫大的耻辱。然而楚襄王并不能以屈原有远见，而加以重用，反而把他迁到江南。屈原目击着当时楚国的国势日弱，内政日益混乱，因而发出悲痛疾俗的哀吟，这种哀吟是对于楚国的乱政的一种抗议，然而楚国的当道并不能因他这种抗议而有所觉悟，屈原看见他的主张已无法实行，他只有自杀。所以他的死是和楚国之必然灭亡的国运相连结着的，他的死决不是消极，而是殉难。

屈原的诗篇里是充满着这种殉难者的精神的。如《离骚》里面：

……朝饮木兰之坠露兮，
夕餐秋菊之落英，
苟余情其信姱以练要兮，
长颇亦何伤！……

……既替余以蕙纕兮
又申之以揽茝，
亦余心之所善兮，
虽九死其犹未悔！

……忳郁邑余侘傺兮，
吾独穷困乎此时也！
宁溘死以流亡兮，
余不忍为此态也。……

民生各有所乐兮，
吾独好修以为常；
虽体解吾犹未变兮，
岂余心之可惩？……

夫孰非义而可用兮，
孰非善而可服？
阽余身而危死兮，
览余初其犹未悔。

在《涉江》上面也同样有这样的话：

哀吾生之无乐兮，
幽独处乎山中，
吾不能变心而从俗兮，
固将愁苦而终穷……

到了《离骚》的最末的几句，他那为国家，为信仰殉难的精神更说得明显：

陟升皇之赫戏兮，
忽临睨夫旧乡。
仆夫悲余马怀兮，
蜷局顾而不行。
乱曰：已矣哉，
国无人莫我知兮，
又何怀乎故都？
既莫足与为美政兮，
吾将从彭咸之所居！

为什么要从彭咸之所居呢？原因是“既莫足与为美政！”

正因为屈原抱着一个信仰，不惜任何牺牲，不惜任何困难，和外在世界里面的某一种力量发生对立，冲突，因而激成了他在精神上的悲愤，忧郁，哀伤，怀恋，诸种情绪的杂揉。这种内在的矛盾同样的苦恼着他。

他痛恨那些奸邪之徒，如上官靳尚等，所以他说：

世幽昧以眩曜兮，
孰云察余之善恶。
民好恶其不同兮，
惟此党人其独异！
户服艾以盈要兮，
谓幽兰其不可佩。
览察草木其犹未得兮，
岂珵美之能当？
苏粪壤以充帏兮，
谓申椒其不芳……

……怨灵修之浩荡兮，

终不察夫民心，

众女嫉余之蛾眉兮，

谣诼谓余以善淫。

固时俗之工巧兮，

偭规矩而改错。

背绳墨以追曲兮，

竞周容以为度……

……何琼佩之偃蹇兮，

众薆然而蔽之。

惟此党人之不谅兮，

恐嫉妒而折之。

时缤纷以变易兮，

又何可以淹留。

兰芷变而不芳兮，

荃蕙化而为茅。

何昔日之芳草兮，

今直为此萧艾也……

…椒专佞以慢慆兮，

樧又欲充夫佩帏，

既干进而务入兮，

又何芳之能祗！

固时俗之流从兮，

又孰能无变化？

览椒兰其若兹兮，

又况揭车与江离！……

——《离骚》

不管他是怎样悲愤，但是终为无用。正如《惜诵》所说的：

固烦言不可结诒兮，

愿陈志而无路。

退静默而莫余知兮

进号呼又莫吾闻。

申侘傺之烦惑兮，

中闷瞀之忳忳！

在这个时候，屈原的忧郁和哀伤达到了极度：

惟佳人之独怀兮，
折芳椒以自处。
曾歔欷之嗟嗟兮
独隐伏而思虑。
涕泣交而凄凄兮，
思不眠以至曙。
终长夜之曼曼兮，
掩此哀而不去！……
登石峦以远望兮，
路眇眇之默默。
入景响之无应兮，
闻省想而不可得。
愁郁郁之无快兮，
居戚戚而不可解。
心鞿羁而不形兮，
气缭转而自缔……
——《悲回风》

遭沉浊而污秽兮，
独郁结其谁语？
夜耿耿其不寐兮，
魂茕茕而至曙……
惟天地之无穷兮，
哀人生之长勤。
往者余弗及兮，
来者吾不闻。
步徙倚而遥思兮，
怊惝怳而乖怀……
——《远游》

忧虑和哀伤到了极度的时候，诗人屈原渐渐的觉得人生的空虚，甚至对于整个宇宙的存在他都表示怀疑，——这充分的表现在《天问》上——因而企图："漠虚静以恬愉兮，禬无为而自得！"从赤松、王乔去学神仙，入到虚无的境地：

……下峥嵘而无地兮，

上寥廓而无天。

视儵忽而无见兮，

听惝怳而无闻。

超无为以至清兮，

与泰初而为邻。

——《远游》

但这种出世的精神，并不是屈原诗里面的主要调子（《远游》是否为屈原所作，虽还有争论的余地，但我假定其中一部是出自他手），而且与其说它是消极的，倒不如说它是在诗人的精神状态极端紧张中，对于另一种世界的幻想。只有从这个观点看，我们才能理解这个幻想之现实的意义。无限的世界并不是在有限的世界以外去寻求，而是在于从有限的世界中去体现。屈原的诗之所以直到现在还能感动我们，正是因为他始终固执地追寻着现实世界的憧憬，他对于这个世界的热爱和怀恋感召了我们。比方他的：

……出国门而轸怀兮，

甲之鼂吾以行。

发郢都而去闾兮，

怊荒忽其焉极？

楫齐扬以容与兮，

哀见君而不再得！

望长楸而太息兮，

涕淫淫其若霰。

过夏首而西浮兮，

顾龙门而不见！……

背夏浦而西思兮，

哀故都之日远！

登大坟以远望兮，

聊以舒吾忧心。

哀州土之平乐兮，

悲江介之遗风……

——《哀郢》

又在《抽思》上的：

……望孟夏之短夜兮，
何晦明之若岁？
惟郢路之辽远兮，
魂一夕而九逝！
曾不知路之曲直兮，
南指月与列星。
愿径逝而未得兮，
魂识路之营营……
——《抽思》

在《惜往日》上，他在临要自杀的时候，他还是思念着他的楚国：

惭光景之诚信兮，
身幽隐而备之。
临沅湘之玄渊兮，
遂自忍而沉流？
卒没身而绝名兮，
惜壅君之不昭……

……宁溘死而流亡兮，

恐祸殃之有再。

不毕辞而赴渊兮，

惜壅君之不识！

——《惜往日》

第二，屈原的诗篇不仅是所包涵的情感非常之浓郁，而且他所描写的场面亦是非常之大。屈原以后，中国诗歌已偏重于抒情方面，喜欢以极简短的句子，来描写外在的景物，实际上这些景物，都不过是某种情调的象征，至于专门叙述或描写的文章，则演变成另一文体——辞赋。屈原以后的中国诗人或词赋专家都很少有这样大的气魄的。比方在《离骚》上的：

折琼枝以为羞兮，

精琼爢以为粻。

为余驾飞龙兮，

杂瑶象以为车……

……邅吾道夫昆仑兮，

路修远以周流。

扬云霓之晻蔼兮，

鸣玉鸾之啾啾。

朝发轫于天津兮，

夕余至乎西极。

凤皇翼其承旂兮，

高翱翔之翼翼。

忽吾行此流沙兮，

遵赤水而容与。

麾蛟龙使梁津兮，

诏西皇使涉予。

路修远以多艰兮，

腾众车使径侍。

路不周以左转兮，

指西海以为期。

屯余车其千乘兮，

齐玉轪而并驰。

驾八龙之蜿蜿兮，

载云旗之委蛇……

又在《悲回风》上，我们看诗人屈原的想像真在凌空驰骋呢，屈原因登高远望，他对自然界的景象，雾气的飘忽，有很好的描写：

……上高岩之峭岸兮，
处雌蜺之标颠。
据青冥而摅虹兮，
遂儵忽而扪天。
吸湛露之浮源兮，
漱凝霜之雰雰。
依风穴以自息兮，
忽倾寤以婵媛。
冯昆仑以瞰雾兮，
隐岐山以清江。
惮涌湍之礚礚兮，
听波声之汹汹。
纷容容之无经兮，
罔芒芒之无纪。
轧洋洋之无从兮，

驰委移之焉止？

漂翻翻其上下兮，

翼遥遥其左右。

泛潏潏其前后兮，

伴张弛之信期。

观炎气之相仍兮，

窥烟液之所积。

悲霜雪之俱下兮，

听潮水之相击……

对于运用原始哲学的神话，传说，屈原是异常的巧妙的，在这里包含着有类比和象征的意味，他把它们美化了。中国的神，一向是没有生气的，只有在屈原的笔下，它们才令人觉得非常之可亲，而且异常之美丽。后代的诗人只有李长吉才学得了一些些。比方在《少司命》里：

……入不言兮，出不辞，

乘回风兮载云旗。

悲莫悲兮生别离，
乐莫乐兮新相知。
荷衣兮蕙带，
倏而来兮，忽而逝。
夕宿兮帝郊，
君谁须兮云之际？……
与女沐兮咸池，
晞女发兮阳之阿。
望美人兮未来，
临风怳兮浩歌。
孔盖兮翠旍，
登九天兮抚彗星。
竦长剑兮拥幼艾，
荪独宜兮为民正！

第三，屈原的诗不仅文采华丽，想像力超迈，而且他是对于历史和政治，有着赅博的知识的人，因此在他的诗里面，常常夹着一大段的历史的陈述，在目前中国有许多人惑于“形象”的见解，以为一定要句句“形象”

化才能为诗，这是十分错误的。比方在《离骚》上，屈原就曾有这么一大段：

……启《九辩》与《九歌》兮，
夏康娱以自纵。
不顾难以图后兮，
五子用失乎家巷。
羿淫游以佚畋兮，
又好射夫封狐。
固乱流其鲜终兮，
浞又贪夫厥家。
浇身被服强圉兮，
纵欲而不忍。
日康娱以自忘兮，
厥首用夫颠陨。
夏桀之常违兮，
乃遂焉而逢殃。
后辛之菹醢兮，
殷周用而不长。

汤禹严而祗敬兮，

周论道而莫差。

举贤而授能兮，

循绳墨而不颇。

皇天无私阿兮，

览民德焉错辅……

我想这一类的诗句，如果拿给那些一切都以“形象”为宗的人们看，一定会以为不是诗，看不下去，或者是竟被一下子就丢在字纸篓里。然而从整篇看来，这一大段的说理是十分必要的，因为这些事实，是作为他的“夫孰非义而可用，孰非善而可服？阽余身而危死兮，览余初其犹未悔”的根据。在这里他所叙述的已经不只是事实，而是他的信仰的一部，生命的一部，他实际感觉着这些事件，从这些事件的感觉里，他发生出他的信仰。我以为这些叙述是有感情的，而且也是形象的。在诗里面，我们并不是不容许有说理的成分存在，而是要看这些说理的成分是否有感情的内容。正如“打倒日本帝国主义！”虽然是口号，然而并不是凡用了“打倒日本帝国主义”这个口号的诗，就是口号文学，而主要的要看这整篇诗里面这个口号是否传出了一定的情愫。

三

屈原，虽是一个很伟大的诗人，然而他究竟受着他自己的地位，和当时的历史环境很大的影响的。屈原是楚武王子的后裔，所以他是贵族，他又是三闾大夫，管理着昭、屈、景三姓，所以他又是封建诸侯，因此屈原在楚国的朝廷里有很大的发言权。屈原的这种地位和他的历史环境，就使得他有固执着自己的意见的权利和可能（我们知道自汉以后，中国的“为人臣者”就根本没有可能来固执自己的政治主张，更没有可能来发表什么文字，表示怨怼之情）。然而另外一方面也就是这种历史环境和他的地位，限制了他，使他除了一心一意效忠于楚王，怀恋楚王以外，便没有其他的办法。他只能在历史所给予他的可能范围内打圈子。他的思想和情感也就局限在这里。

我们很可以想像的，屈原当时的被流放决不是他自己的一个人，而是一定有他的许多同志，附和者，和他的臣下，所以在“哀郢”的一开始的几句，他就这样说:“皇天之不纯命兮，何百姓之震愆，民离散而相失兮，方仲春而东迁……”这可以看见当时离开郢都的时候，是很多人的。正因为屈原自己当时饱尝着流放的苦处，所以他才会感觉到一般人民的疾苦如“哀民生之多艰”这一类的辞句，然而他这句话里，所包涵的意义，和我们今天所说的民生疾苦，并不是完全相同的。

有很多人把我们的屈原来比但丁。然而我们知道但丁是中世纪黑暗终结的黎明时，最先醒来的云雀，而屈原却是楚国地主没落时期的秋蝇，但丁拥有着比屈原较优的历史条件。所以但丁的诗篇里，有着新生的喜悦，有着更广阔的视野，更丰富的形象，他毫不客气的把自己的政敌放进地狱里去。然而屈原却没有这类胆量，他对于当时陷害他的群小只能有极轻描淡写的几句，对于楚王也只能说他中道改路。中国旧时的批评家总是爱说：“哀而不怨”是诗人忠厚的好处，其实，这只是一个阶层的诗人对于同一阶层的人物的不得已的忠恕，这种忠恕实际上是杀害了诗人的天才。

今天我们中国正是在伟大的觉醒时代。抗战，无限度的发扬了我们的民族意识，抗战，扩展了我们的视野，抗战，锻炼了我们的斗志，抗战，供给了我们最广泛的题材。而且我们今天有着几十年新文化运动的历史，曾受过全世界最优秀的文化所熏陶，最超越的作品所教化，我们在意识上早已被解放了出来。我们有着广阔的天空，来让我们展开那美丽的热情的翼羽。

让我们不要再低着头，唱出那哀伤的辞句罢！

让我们也和屈原的诗篇里面所说的一样，“表独立兮在山之上，云溶溶兮而在下”，走上昆仑山的山岭，唱出他钢铁似的声音罢！

“英雄的事业，需要英雄的语言！”我们中国既有着不少的英雄事业，因此我们正需要着英雄的语言！

中国的新诗人们，屈原是在悲惨的历史条件之下悒郁死了，然而他的诗给了我们很多的启示。今天我们中国是处在伟大的时代，我们希望我们有比屈原还要更伟大的诗篇出现啊！

五，二六，脱稿。

抗战文艺的任务及其方向

中国是一个次殖民地的国家，这就决定了它一向社会发展的不平衡性。在这里有资本主义国家里最先进的因素，同时也有农业国里最落后的因素。这种情形同样而反映为意识形态的一部门的文学上面。

在中国文坛上我们可以看见许多由外国带回来的近代国家里的最时髦的流派，如未来主义，象征主义，唯美主义等，但同时也能看见大鼓词，说书，唱词，小调，京戏，那些比较适合于落后民众趣味的文学。这两种文学，正如一九三九年的最新式的流线型汽车和中世纪的独轮小车同时在南京路上走一样，它们是同时并存着，而且各有各的读者群众，很少有相互的交涉。

是的，文艺大众化的问题，在一九二八年初，当新兴文学一抬头的时候就曾被提出来过，但是这个问题的提法，一开始就只局限在一个狭小的范围里，结果这个问题就只有停留在咖啡座上的闲谈里，而新兴文学也就始终只在狭小的文化圈里打转。在另外一方面，旧的文学，因为受到某种势力之有意的支持，因为经济的极端贫穷所造成的人民的愚昧与落后，因为新的文学之垦荒工作的薄弱，于是它也就始终在广大的下层民众中维持着它的势力。

“卢沟桥事件”使整个的中国社会都起了剧烈的变化，同时也替中国的文学开辟了一条新的道路。全国各界大联合共同对外，这不仅扩大了新文学运动可能的活动范围，和打开了许多落后的读者群众的眼睛，同时，即在文艺运动面前也重新放下了一个任务，即文艺工作者再也不能满足于这文化小圈子里的活动了，它必须向广阔的无文化的愚昧的区域里迈进。他们必须面向着这全中国的最大多数的农民。

但是文艺运动朝向着愚昧的领域长征，并不能只从社会的意义和政治的意义上去估计。其实即从文学运动本身看来，它亦应该被看作为从量的变化到质的变化的飞跃的时代的开始。由于民众意识的高扬，由于抗战过程中人与人之间所发生的复杂的戏剧的关系，文艺和民众生活的直接的接触和交流，这正是伟大文学诞生的征兆。

文艺运动的这个新的任务和新的方向就规定了文学的内容与形式。

文艺家的视野扩大了，他从战争中可以更清楚地认识自己的祖国。

文艺家的眼力更深入了，他可以一直深入中国社会的底层。

文学的题材更丰富了，一向不被人注意的东西，现在都因为了和抗战有直接或间接的关系而更形凸出。

文学的目的意识性更加明显了，在一切的文学作品中都贯穿着抗战的意识。

而同时在形式方面，为了适应新的文学内容也必然的会有剧烈的变化，即它再也不能机械的把西洋文学的形式搬过来，或把旧文学形式不断地重复了又重复。不是的，新的内容应该有新的形式，形式不过是内容的外现，一切外来的形式和过去的通俗的形式都必然的会通过新的意识形态而重新凝结成崭新的形式。

但是一种运动并不是全部都能循着一条直线进行的，由于农村极端的落后，当新文学才开始闯进愚昧的领域里去的时候，它并不一定就能受到群众的欢迎，因此为了更能适合于群众的趣味，为了更深刻去了解旧形式，更容易去撷取旧形式的菁华，更彻底去破坏旧形式，我们也就不能不利用旧形式。如果只看到前一个原因，那么我们就很容易把利用旧形式只看成为纯粹的技术的问题或短期间的过渡的办法，但是相反的，如果只看到后一个原因或甚至把利用旧形式代替了整个的新文艺运动，那么我们就很容易忘记了新文艺运动的创造性和多样性，很可惜的，在目前竟有许多的前辈文人竟忘去了这一点，而老是把五更调、大鼓词，当成为目前新文艺运动的正宗。

我们不反对利用旧形式，但我们反对以旧形式代替了新的文艺运动，或是把利用旧形式当成固定的东西，我们反对因利用旧形式而忘记了自五四运动以来的文艺上的传统和它的主导地位，我们反对这样的意见，他们以为除了通过旧的形式以外，不必或不能有新的形式的创造，恰恰相反，我认为这种新形式的创造才是目前应该提倡的文艺运动的主流！而旧形式的利用不过是创造新形式的一个方面，一个支流。而最近的事实也正证明有许多新形式的文学并不会受不到读者的欢迎。

我们更反对一批自命风流的人物，借着利用旧形式的美名，而实际上却写出一些连形式和内容都是旧的复古，把坟墓里的僵尸拖出来当作祖宗崇拜，这不是天才，而是愚蠢。

确切地说起来，目前所流行的说法，即 ×× 以利用旧形式比喻作旧瓶装新酒，这是十分不正确的，因为瓶和酒是两件不同的东西，然而文学上的形式与内容是内在的统一，从来没有一个作家，他预先想好了一个形式的瓶子，然后用内容装进去，像把酒装进瓶子里去一样简单。

如果从哲学的观点来说：“形式是由内容所产生，所规定，所以内容对于形式具有优越性，当形式的独立，发展到了障碍内容之更进一层的发展时，内容与形式的斗争，就引起形式的逸脱与内容的改进……”“形式不但是内容之内的构造，而且也是它的外的构造，在其发展上，内的东西与外的东西互相转变互相推移，所以形式本身对于内容能够成就其独立的发展，当形式由内的东西转变为外的东西时，就和内容相对立，变为内容发展之障碍，所以形式在其发展上能促进内容的发展也妨碍内容的发展，这是形式对于内容的能动性。”——见李达著的《社会学大纲》。

把这一个哲学的命题用到文学的创作方法上来，我想我们至少可以得出以下的结论：即文艺的形式是内容的外现，所以形式是内容的发展；但是内容一外现而为形式，形式又反转来约制了内容。所以内容与形式是矛盾的统一。再从创作的过程上说，内容与形式是很难分开的，所以文艺的创作是自由的，同时又是不自由的。因此现在如果有人说：“无论任何艺术都一定有它的规则，而这个‘可咒诅’的规则又限制了内容……”我想说这句话的人显然没有看见真理的面孔，而只是望见了真理的脚跟，因为他忘记了形式又是内容的发展，如果有人说任何艺术都是有规律的，因此旧形式是规律，新形式也是规律，这中间并没有什么不同的话，那么我想这个人不是外行便是愚蠢，因为他根本不懂得在创作过程中，形式和内容间的微妙的关系。

在这里，也许有人要问，如果形式不过是内容的外现的话，那么旧形式和新内容是怎样统一起来的呢？

我想，在这里我们的答案应该是：新的内容和旧的形式应该是从整个文艺运动的实践的意义去求得它的统一的。可是实践是生活的过程，是变革的过程，它绝对不能老是停留在五更调的重复上，老是停留在西皮二簧的反复上，它一定要不断的加进一些新的元素进去，从内面去打破旧形式，一直到旧的形式有了一个质的改变。经过了这一个扬弃得来的新形式，它必然是能适应于新的内容的新形式，它比一切过去的形式都还要丰富。必须到了这个时候，形式和内容才能够在创作的方法上得到统一。如果忽视了利用旧形式的这个实践的意义和斗争的意义，那么结果一定弄得不是我们利用旧形式而是旧形式在利用我们来提高自己的地位。

中国化，并不是把中国大门关起来，把中国过去的文艺的渣滓都当成为国货来保存，“中国化”不应该忽视外来的技术，尤其不应忽视那五四运动以来的传统的新文学的思想和技术。现代的中国需要现代的技术，因此所谓中国化的文学应该是以强烈的战斗的民族意识，来淘汰，洗练，溶化新的和旧的传统的文学而造成新的更丰富的文学。

我们反对蹩脚的绘画家用西洋的画法去把中国人的面孔，画成外国人的样子，但我们并不反对用西洋画的手法去画成中国人的面孔。

所以文艺的中国化并不反对我们接受外国的传统，而只是说要使到它更贴近于中国人和更适合于中国人的口味而已。

文学是以语言来做媒质的。显然的在这近百年来，中国的沿海各城市，由于和外界接触的频繁，已在形成着一种近代的中国语言，因此现代化的中国文学亦应以中国的近代语言来做基础。自然我们也不能否认，这种语言还是不够丰富，还不足以反映出中国各个角落里面的社会生活。它正需要我们采撷所有地方，所有阶层的口语来不断地补充它的内容。可是我们并不能因此就过分地夸张带有地方性的文学形式和语言，并以此来代表了一切，我们更不赞成向古老的辞句里去找寻腐朽了的字汇，装模作样写成那不像文言又不像白话的文章。

要有中国化的文艺，同样重要的，我们也应该有中国化的文艺批评。老实说一句，中国过去的文艺批评是还不够中国化的。外国的批评家说了什么，我们中国的批评家也就说什么，并没有加上一点新的东西。

中国化的文艺批评，不仅要懂得世界文艺运动的动向，和一般文艺的规律，同时它还必须洞察到中国社会的内在的规律性，和具体了解中国各地的风俗，以及各个阶层的人物的性格。特别是当目前“文艺大众化”“利用旧形式”等口号十分流行的今日，新的文艺批评家一定要拿出一部分时间来研究一下这些旧文学和民间文学，因为必须批评家自己了解旧形式然后才能够指导作家们去利用旧形式。

过去文艺批评家的工作多是偏向于指出文艺运动的一般的方向和任务，但这还是不够的，我们要求文艺批评家更进一步的须要指出每个作家的长处和弱点，给与具体的建议或指示。过去几年前用意识正确或不正确那一类的裁判官的态度是很不妥当的。

但是要使文艺批评家能够对于作者们有积极的帮助，那么他自己本身就不能不或多或少地有一点创作经验。文艺家的作品是不能只当成为一个文艺作家的劳作的结果来看，同时我们还得把它当成为创作的过程来研究。这就能解释了为什么苏联的作家们对于原稿研究的重视。所以我觉得，如果一个文艺批评家只是从作品的外面去理解作品还是不够的，他必须进一步的从作品的内部去理解作品，体验到他的创作的过程。

总括地说起来，自从抗战发生以后，中国文艺运动已在最宽广的范围内展开，虽然表面上似乎还表现一些混乱，但这正是文艺运动向更高的阶段飞跃的征兆。复杂的内容要求着多种多样的文艺形式，而利用旧形式也正是创造新形式的一种开始。但是我们反对这种说法：以为一切新的文艺形式都要通过旧形式的利用才能达到，或是以利用旧形式作为当前文艺运动的主流而轻视创作。我们的主张是我们要承继自五四运动以来的新文艺运动的传统，同时更在这不断使文艺接触大众的过程中去尽量充实它的内容和形式。教育大众，同时又向大众学习，就在这交替的过程中，我们将更预祝着新中国的伟大文艺的诞生。

一九三九，六，六。

目前中国的诗歌运动

如果我们把五四以来的文艺作品拿来检查一下，那么我们一定会觉得诗歌的成绩要比较小说和戏剧差一些。这原因说起来也许是很简单，那就是诗歌所受到的文字的和形式的拘束（如音调格律）比戏剧和小说更大。中国诗歌的句子不能太长，如果西洋诗可以用很多的形容词或形容子句，但中国诗歌却不成了；同时诗歌的用字除了它的意和形以外，还得考虑到它的声音。如果外国人一个形容词可以有几个缀音，可是中国的形容词多数都是两个音至三个音。所以中国诗歌是很难从西洋诗歌的摹仿里获得问题的解决。比方以前曾有人提倡过十四行诗，或是连押韵和音步也主张用西洋诗歌的形式，结果因为它违反了中国人语言的自然韵律，所以并没有什么成就。

至于从中国的旧诗歌里面，我们的新诗也只学习到很少；第一因为中国古代的诗和现代的语言思想相差太远；第二从五四以后那几年起，我们简直就很少注意到继承中国旧诗歌的遗产的问题。

从郭沫若的《女神》起，中国的诗歌开始了它的浪漫主义。歌德、拜伦的诗歌似乎间接的给予了我们以很大的影响（很惭愧，直到现在还没有歌德和拜伦的全集的译本），这种诗歌虽然是个人主义的，英雄主义的，可是它当时是和中国的民族意识觉醒联系在一起的。所以它一方面对于中国旧诗歌的统治的形式来一个破坏，同时也就替中国的新诗歌树立了初步的楷模。

接着，因为中国的新兴贵族起来了，于是带有都市味的、唯美的、享乐的颓废主义，也就从外国移植过来，波特莱，魏尔伦，兰堡的诗一时便为人所赞诵。这种诗无论从内容和形式看来都有着新兴的贵族的气味，不过如果从外国颓废诗人的诗里面，我们还可以感觉到某种情感的力量的冲激，那么在我们中国的这些颓废主义的诗里面，只能够感到一些软绵绵的女性的腻感。除了极端的追求美的外形和在这美的形式世界里得到一些陶醉，以至于从这陶醉里微微的感到空虚和伤感以外，什么也没有。即从形式上说，对于中国以后的诗歌运动，也没有多大的贡献。

显然的，这种诗歌在中国是没有多大的社会基础的，因为中国的新兴贵族，他们虽然具有颓废的素质，但是他们并不能够完全和这些由外国输进来的颓废情调合拍，他们中的大多数也许还是要在鸳鸯蝴蝶和苏曼殊这一类的诗歌里面才能够找到他的安慰。

不过，这种诗虽然没有成为中国诗歌的主流，可是从这一个系统演化出来的另外一种诗却在中国都市的智力劳作者、大学生、技术人员中流行起来，那就是所谓现代派的诗体。这些诗人大致都是长期的在洋化了的都市上居住，他们的世界是相当狭小的，因此他们的情感却又使他对这周围的单调狭隘的环境感到不满，可是同时物质的力又牵制着他们，使他们没有勇气来打破这个世界，走出这个世界。所以他们忧郁，他们具有新的都市风的伤感，他们喜欢以敏锐的感觉，从日常微小的事物中，去联想到辽远的，奇异的世界去。这个世界是幻象的，他们就自己陶醉在这奇异的幻象的世界里。他们喜欢用轻松的句子抒发出他们的忧郁，他们的情感正如从有隙里透露出来的轻烟。

从这生活的狭的笼里透露出来的梦，也许是相当美丽的，可是他们在生活的面前却表现得异常无力，一当社会生活的漩涡愈转愈紧的时候，他们就连发这些梦的机会都没有了。

同这种诗同时并存的是一些用冷静的头脑去看世界的诗人。他们把自己从客观的世界抽出来，把这世界很客观的描画，构成功一种冷静的美。如果诗的本质是倾向于抒情的，如果中国初期的浪漫运动是着重于自我表现的，那么这种诗正是它的一种反流，这种诗派的来源是美国的印象派所发起，如 A. 洛威尔，K. 弗罗斯特等人。他们企图把雕刻上的手法输进到诗里面来。在我们中国臧克家初期的诗，正是代表这个流派，虽然它还不是十分成功。

这一种诗显然是美国所流行的科学万能的思想之反映。可是诗究竟不是科学，而且把主观从客观抽出来了，客观亦将不成其为客观。这种抹煞主观的诗的理论，暴露出自己情感上的贫乏。

中国是以农民占大多数的国家，这种冷静的美，不仅是不能为中国大多数的人民所欣赏，而且也不能为许多出身于中国农村的知识者所欣赏。

这些许多流派正面对立着的是一些急进的诗人。他们是承继着五四运动初期的革命文学的传统而前进的，他们首先提供了诗与政治的意见，他们着重于诗所负的社会任务，这是对的，可是他们不明了诗歌运动，光是提出一些对于诗歌的理论上的意见还是不够的，他必须要在创作的实践上真正的能开创一个作风。很可惜的，过去一些的左倾诗人们却并没有能够在创作上多多努力。有些忙于实际工作的人，既没有工夫来写诗，而诗的写作者，却又往往站在实际工作的圈子以外在那里干叫。同时从整个的运动看来，他们似乎还不明了诗歌创作上的特殊的规律性，即他们以为经过每一次斗争，每一次事变，马上就可以创造出一首诗来，他们不明白，诗歌之产生，并不是单纯的某种事件之反应，而必须是经过了许多的事变，从这事变中摘取其中最精彩的部分，把某一些情感转移过来，集中起来，然后才能够凝结成一首好诗。因为诗是文学里面包涵有最浓厚的情感的部门，它需要以最简单的语言传达出最浓郁的情愫。

中国的新兴文艺运动太年轻了，文艺的理论虽然一般的已建立了起来，可是由于作家的生活经验太少，所以也就很少人能够从这简短的历史过程中积蓄起很丰富的情感，创造出完整的诗歌。

抗战起来了，民族运动的高潮，开始了普遍全国，正因为有了这一个广泛的政治运动，于是诗歌才开始有了机会同广大的群众接触。在这里诗歌的大众化的问题就被实际上提出来了。

可是，自从抗战到现在两年多以来，我们的诗歌已走上了大众化的道路了没有呢？不可否认的，在这两年多以来我们曾发现了不少的好诗，可是从诗歌的大众化运动这个观点看来，那就未免太落后了。诗歌的读者群永远是那么一个小小的圈子，因而诗歌也就永远不能成为中国抗战中的一个有力的推动机。

从目前中国的诗歌创作的情形看来，我们不能否认中国的诗坛是相当凌乱的。我们现在不妨就现有的几位诗人的创作来谈谈。（这儿所举的不过就作者个人所知的几位，当然不能包括全体。）

第一，我们说到艾青先生，他的诗是很好的，他的好处是他能忠实于自己，在简炼的句子里含有着丰富的情感，虽然这情感有时候并不十分健康。可是他有一种偏爱，即是他喜欢从侧面去表现，象征主义的手法，限制他使他不愿意直接了当处理题材，喜欢用纤细的技巧去描划伟大的场面。例如他用吹号手联想到战争，从这里展开了战争的场面。又例如“他死在第二次”，那位英雄的思索的路线，似乎也已超出了那位平凡的士兵所能思索的范围。所以从艾青先生的诗里面可以看见现实，但是这只有通过了某种象征的东西才能看到，我们和现实之间似乎还隔着一重透明的玻璃，总有点令人感到不甚亲切。正因为他用这一种间接的表现方法，所以他的诗就不十分能够为大众所了解。因为大众的情感很是直率的，虽然他有点粗糙，我常常这样假想着，如果艾青先生能够用更直率的手法来表现他的情感不是更好么？如果能用比较粗的线条来描画比较伟大的场面，不是更有气魄么？如果他能够朝着这个方向走去，那么是中国诗歌运动的光荣。

第二，我们要说到田间先生的诗。从田间先生的诗的排列法看来，他的确有点像苏联的现代诗。而且最初一眼看下去，似乎他能够给予我们许多新鲜的印象。短的句子充满着力，可是田间先生的诗，却缺少作为诗之生命的“情愫”。他的感觉是如此的敏锐，他把许多新鲜的印象都捉住，可是他好像没有时间来把它组织起来似的，于是他把这许多许多的印象罗列出来，读者们从他的诗里面的确可能获得很多的印象，可不曾发生情感的共鸣，特别是中国的一般读者，他们不会从这些印象中组织出一幅图画。田间的诗正如橱窗里的广告，在最初摆出来的时候，很能够吸引行人，可是放久了，大家连看也不要看了。

第三，我们要谈到蒲风先生，他的诗的确是十分通俗，而且是多产，他是诗的斯达汉诺夫运动者。同时我还得指出，他的确是诗歌运动的最热心的组织者，可是他的缺点是他的诗虽然易懂，情愫的含蓄却太少。

第四，我想谈到柯仲平先生的诗。柯先生的诗的好处是第一，它能吸收中国古乐府中的精华而加以制炼；第二，它有西洋的叙事诗的气魄；第三，它能从民歌里面口语里面撷取了许多新的表现方法，大胆地引用了许多平常人所认为不能入诗的字句。当然他这种创作的方向是对的，虽然他现在创作出来的诗是太粗糙，太缺乏剪裁。

就是直到今天为止，诗歌还没有成为一个群众运动。虽然大家都承认诗歌的现实主义是对的，可是怎样才算是现实呢？谁也没有去管，虽然没有一个人反对诗歌的大众化，但是创造出来的东西，究竟大众化到什么程度呢？谁也没有去管。各人走着各人自己的方向，没有互相批评，没有互相教育，没有一个作为诗歌运动的理论的基础，没有把诗歌大众化作为创作实践上的指针，没有把扩大诗歌运动作为一种群众工作，不管大众对于自己的诗歌怎样批评，只是各自照着自己的办法干下去，这是永远不能使诗歌运动成为一个运动的。

所以我们今天为了使中国的诗歌能真正成为一种运动，一种力量，使诗歌不再受到别人的轻视，使诗歌能够有广大的读者群围绕在自己的周围，我们认为我们全国的诗人们实有团结一致、共同努力之必要。努力的方向有两个：一个是创作方面，一个是组织方面。

首先从创作方面说。当然我们没有任何理由，在这里要求规定出限制创作的教条，艺术的创作是自由的，诗人应有一切的自由来选择表现的手法，可是这并不妨碍我们今天规定一个创作的最大方向。因为假如不规定一个诗歌创作的最大方向，那么谁亦可以一面高叫着诗歌大众化的口号，而一面又创造出最不大众化的诗歌；谁亦可以挂着现实主义的招牌，而创造出最不现实的诗歌。所以只有当我们共同决定了一个最大的方向，然后我们才能够根据着这个方向来互相批评，互相教育。

同时在诗歌方面，我们同样的也需要民主，即诗人们应该有最大的度量来听取别人的批评，过去那种不愿意别人指出自己缺点的态度，应该完全改变过来。

那么什么是我们的最大方向呢？我想我们今天应该把“创造出真正能为大众所了解的作品”为我们创作的最大方向，并以此为准则，建立诗歌的批评。

一切离开艺术的真实性，或是只追求着事物外表的形式美，而忘记了事物里面蕴藏着人间性的东西，应该被视为非现实的东西。艺术的表现当然不能脱离形象，可是如果只追求着这些形象，而没有浓郁的情感含蓄在这形象的里面，那还是形式主义。至于形象与形象之间的联系与组织，这自然更需要思想和艺术手法的高度的修养。

可是怎样才能够被称为“大众化”了的作品呢，我想这至少要包括以下三点：第一，要面对现实从正面去接触它；第二，我们所用的语言，不要违反一般习惯口语；第三，表现的手法，一方面固须力求新颖和独创，但是同时还必须顾虑到读者们理解的线索。

其次说到组织方面，如果我们要开展诗歌运动，第一，我们必须更广泛的组织诗歌座谈会，在理论上来检讨过去各种诗歌流派之长处和缺点，更多的翻译西洋的古典作品作为我们新兴的诗人的食粮。

第二，我们必须更广泛的开展诗歌的朗诵运动，因为诗歌的朗诵运动不仅使诗歌以更直接的方式传达给群众，而且由于群众的反应可以不断的刺激着诗歌的创作者朝向着群众走去，改正他的创作的方向。

第三，我们必须在各乡村，各县市，各团体建立诗歌的通讯站，要他们经常吸收诗歌的爱好者组织座谈会，朗诵会，并听取他们的意见；同时并通过这些通讯站搜集民间的口语、农民的歌谣，来作为诗歌创作上的参考。

广大的诗歌运动必须提拔许许多多的青年诗歌创作者，并经过他们去组织许许多多的诗歌的读者群众，才能发动起来的。过去那种狭小范围里面的贵族气质是应该停止了。

要使诗不含有贵族的气质，首先让我们的诗人们放弃自己的贵族的气质吧！

文艺与政治

过去，文艺家大概都是厌恶政治的，甚至有些文艺家简直就把政治认为是一种罪恶。可是现在，文艺与政治分家的现象已经是过去了。文艺不过是上层建筑的一种，在某种意义上说，文艺不过是政治战争上的一个部分，它给整个的政治环境所决定着，比方现在因我们对日寇抗战，所以我们就有抗战文艺，这些文艺作品，都是配合着抗战，而且是和抗战有关的。

然而假如我们把文艺和政治的关系看作为奴仆对主人的关系，可以用政治的力量来加以命令，或者把文艺作家都看成为一般政治活动的人物，那又是错了。因为文艺虽然和整个政治动向相配合，然而它有着相对的独立性，而在其发展上亦自有其特殊的内在规律性，如果我们用极端的功利主义去衡量文艺，那么我们就常常会把文艺限制在一个极端狭小的范围里面，同时出于政治的过分干涉文艺，结果就是忽视了文艺的特殊的内在规律性，和对于创作过程的缺乏理解，以至把奉命创作出来的东西代替了真正的艺术。

所以文艺的创作需要政治的自由，文艺的发达是与政治的自由成正比例的。

而且所谓文学上的倾向性并不是要求文艺家直着喉咙叫喊什么主义，宣传什么主义，不是的，文艺家的倾向性是在于文艺作家能根据自己的正确的世界观和人生观，去观察这个世界，并凭着这个世界观和人生观去接触形象，选择形象，排列形象，在他的作品世界里布满着这样的一种氛围，使人们读过以后，能够有很大的感动，而跟着作者趋于同一的倾向。不过一个作家单凭着他的政治认识和正确的世界观人生观还是不够的。他必须把一个立场贯彻到创作里面去，即他在创作的过程中不会感到这是从外面来的压力，而是内在的冲动，是艺术的一种偏好，只有当政治的倾向和艺术的创作倾向统一起来，这才能造成真正的代表时代的作品，也正因为这个缘故，所以伟大文艺的创作是比较落在政治后面。

可是当新的文艺，经过一个时期的培植而强壮起来的时候，它又常常能注视到将来，给人类的前途描画出更清楚的远景。所以文艺与政治的关系是要辩证地去了解的。

自然我们也不否认在某一个时期，当社会斗争极端尖锐的时候，文学成为了直接斗争的武器。如街头诗，街头剧，大众剧之类，可是这一类文学的出现并不由于政治对于文学从外而来的命令，而是创作者自己，在斗争的烈火中，不能自制的愿意把文艺贡献于革命，从而这种文学的诞生还是通过了文艺本身内在的规律性来实现的。

等到狂风暴雨的时代一过去，当每个生活部门都需要坚强的工作者的时候，文艺自然也就不能例外而回复到原来固有的岗位上去，加深自己的工作。社会的进步并不仅限于直接武器的使用，同时还需要对未来有着远大的设计，对于过去有着缜密的检讨，对于现在具有斗争的热情。

政治的最终极的目的是获得政权，并维持这个政权用以达到某一种理想。然而这正是一个长久的过程。它并不如一般人所想像的，一切都可以简单的用命令来解决的。政治的强制力是需要的，然而人民日常生活中的思想，习惯，兴趣，嗜好的改革是无法能用政治力去直接干涉，直接解决的，它需要潜移默化，它需要教育，它需要比较的细腻的、耐心的工作。恰好文学所要负的任务正在这一点上。

所以有时从表面上看起来，文学好像没有什么用处，不过是一个高尚的消遣品，然而从深一点的地方去看，文学之功用，正在于人不知不觉中被施以教育，把人们的意识组织成一个流向。

从一般的方向说来文艺是属于政治的，然而文艺并不仅限于政治，因为它可以在政治力不容易达到的地方执行它精神上的组织作用。

论感情的控制与创作

不是常常听见有人说，文艺家是难以团结的吗？不是常常听见有人说，文艺家，谁也愿意读他的文章，谁也不愿意同他一道生活吗？是的，文艺人是情感丰富的，所以他常常不能控制自己的情感。最近常常看见有一些文艺界的朋友们因为了小小的事情，而大家破口大骂起来，这正是一个证明。

不过从今天文艺同人的团结运动说起来这种现象是一种不幸。我们对于敌伪不能忍耐，因而也就需要我们对于自己阵营内的人们有更多的忍耐。因为我们如果不能忍耐，那么我们也就无法说到团结。

而且就是从创作的立场说起来，一个作家的不能忍耐，不能控制自己的情感，对于他的文艺创作亦不是一件好的征兆。关于这一点我倒想就我的感触所及来说几句话。

一个刺激来了，我们马上就来一个强烈的直接的反应，一切的情感都宣泄出去，结果自己的生活里面就没有丰富的情感的蕴藏与储蓄，这就造成了自己作品贫弱无力的基础。一个野蛮人和没有受教养的人对于外界的刺激反应得最是直接，强烈，然而大家都知道，野蛮人和没有教养的人是很难产生出高度的艺术的。

比方，当一件悲惨的事情发生了，我们是应该哭的，然而环境却不容许我哭，这样使得我不能不抑制着这种情感，也就因为了这生活内部的矛盾使得我们对于这次事件的印象更为深刻。理智与情感的交通增加了艺术创作的酵素。经过了一个时期的蕴藏再经过过多同样事件的反复，等到机会到来，那么我们就可以把这蕴藏着的情感意识朝着一个方面喷发出去，或是把这个情感转移到另外一个特定的方向，可是这个时候已经不是一种直接的反射，而是经过了自己人生观的洗炼以后的意识的抒情。

又比方，我对于某件事情，我本来是要发脾气的，可是，为了顾全大局，我不能不隐忍，这种隐忍当然是增加了自己生活内部的痛苦，然而也正因为了这种痛苦，使得我们能够更多方面去体验人生。无论社会的进化好，个人的发展亦好，总不会是直线的前进，而是曲线的前进。

不仅是人类社会充满了矛盾，即每个人的生活内部也充满着矛盾，文艺作家的生活内部矛盾愈多，则他所可能理解的世界愈复杂，他的描写也可能愈深刻。当然我们这里所说的生活内部的矛盾，并不是过去的灵肉冲突的说法，也不是理智与情感冲突的说法，而是从“人的本质在于人与人之间”这个命题，引申出来的，社会是充满了矛盾，所以反映到个人的意识上也就充满了矛盾。过去有许多文艺家因为意识到了这个矛盾，而无法解决，以至于疯狂，可是假如我们能够把握到社会进化的最大的方向，在这一个大的前提下面，来统一诸多的矛盾，那么这样一来，这些矛盾不仅不会损害他的创作欲望，而且会使他能够洞察到各社会阶层的心理，并从而根据着一定的立场来批评它。所以这里就全靠有对于情感的控制力。

过去浪漫主义的文人企图以外表上的畸行来掩饰自

己的矛盾，或则是企图用官能的刺激来忘记自己的生活本身的矛盾，那都是过去的事情了。至于“任情使气”的坏脾气那更是封建时代的才子派的遗传！

你想，一个为了小小事情就不能忍耐一些的文艺人，他会能够深刻理解那些匍匐在黑暗的角落里，受着无数次的压迫和侮辱的人的心理么？我想不能，因为他对于这方面没有一丝一毫的经验。

所以文艺家如果想洞察到各方面的人类心理，他不仅要去多方接触那些阶层的人们，而且还要丰富自己生活的内容，增加自己的感受性。

学会容忍和对情感的控制正是增加我们自己生活内容的一个办法，当然我们并不主张无原则的忍耐。

听　歌

在我们乡村里常常有手拿着竹板沿门卖唱的盲歌者，每当夏天的夜里，男男女女都坐在屋门口禾坪里手里摇着一把大葵扇纳凉的时候，这些盲歌者就成为他们的上宾。天上粒粒星光，像珠网似的覆盖着四野，而萤火则到处流飞着，少妇怀里的小孩子已经入睡了，老农们咬着旱烟管，不时用手猛扑着他背上的蚊虫，就是在这时候，那盲歌者曼声唱着，手里打着竹板，他唱“梁山伯祝英台”，也唱“再生缘”，唱得使乡下的女人流着黄豆般的泪。

去年夏天我回到家里，我有机会又重新听到这盲歌者的歌，照旧大家在禾坪里手摇着葵扇闲坐着，那山形，那星星，那萤火，那树梢头的风声，那一二堆白色的围墙还是一样，而这时，十多年前就认得的老盲者打着竹板子从白色的路上来了，于是大家就请他坐下来唱一支歌，他的声音也和十多年前差不多，不过气息是短促一些了。唱的歌名是“七才子”。

故事的内容是这样的，一位才子碰见一个情人，于是就在后花园幽会，后来这才子上京考试获中状元，又为某相府的小姐抛绣球选中，才子不得已乃入赘妇家，后来派往征番被困，而这时，以前后花园的爱人因当时气愤，曾入山学道，这次听见才子被困消息，乃率兵往救，卒解重围，回来以后，一个才子两个佳人都由皇帝赐婚，荣华富贵，共享升平。

照这首歌的内容来说，可说完全是封建的文学，它和一般农民的生活真是远隔千里，可是它之所以能为农民（实际不如说是一般绅士妇女及与地主有关的人们）所了解，完全是由于这些故事从小就为他们所熟知的缘故。

至于从它的形式来说，也是词句非常典雅，绝非出诸无识的农民之手，例如：

今生不了相思愿，

前生烧了断头香，
有心欲作偷香手，
无人肯作有红娘，
红颜咫尺天涯远，
天上人间路渺茫！
……
有门有路通娇女，
景致分明盖广寒，
情诗写在花笺上，
墨笔淋漓在粉墙，
小生只为一个红颜女，
弄得精神颠倒颠！

最有趣的是在这歌里面有非农民所能了解的伤感主义，例如：

不久朔风吹入户，
衰柳尚有春归日，
人老何时转少年……

从这首歌的内容和形式上看来，至少我觉得我们应该得出以下的结论：

1. 在民众中流行而为民众所了解的歌，并不完全一定是由民众所创造或是为民众而创造的歌，因为这些歌并不能真的表现人民的思想或感情，而构成为人民生活有机的一部。

2. 这些歌之所以为农民欢迎，是因为他们对于这些故事早已熟识，而且歌本身的音调单纯，颇适合于农民的单调生活，因此，他们感到这些歌，至少总有些悦耳。

3. 诗歌之民族形式如果想在这样的诗歌形式里面，学习得一些什么，那是希望很少的。在中国似乎越原始越落后的地区里面，反而更容易得到真正的民间的歌。

后　记

我本来没有计划想写什么诗论，不过，我只想写几篇关于诗的论文。最先，我是写好了“诗的形象”，“诗人在历史上走过的足迹”两篇。但是一面写，我的思想就一面发展，于是我就准备打好一个计划，要把它分成三部。第一部是包括着（一）诗人在历史上走过的足迹；（二）略论中国诗史；（三）五四前后的新诗运动。第二部论创作是包括：（四）战斗者的诗人；（五）从美说到诗的美；（六）诗的形象；（七）诗的忧郁；（八）评艾青的诗论。第三部是诗人论，包括屈原论，杜甫论等。

计划虽然是打好了，但由于僻处乡间，找不到必要的参考书和材料，结果，“论五四前后的新诗运动”，“评艾青的诗论”都无从写起。“战斗者的诗人”一篇也不过是把自己所能想到的几个论点写出，而没有很好的发展。“诗的忧郁”是因为时间关系来不及写，而诗人论方面也只是写了一篇“屈原论”。

至于“论目前的中国诗歌运动”，“抗战文艺的任务及其方向”等几篇都是二三年前写的，分别发表在《大公报》和《救亡日报》上，现在也都收集在这里。

因为这是一本论文集，所以并没有把所有关于诗歌上的问题都接触到，最近，作者拟写一本《抒情诗论》，评艾青的诗论的文章，恐怕要放到那本书上了。

一九四二，七，三十日于梅县

三联经典文库第二辑简目

《游击战教程》　明凡 / 著

《游击战术纲要》　陶剑青 / 编著

《汪精卫卖国的理论与实践》　钱俊瑞 / 著

《抗战以来》　韬奋 / 著

《陕行纪实》　楚云 / 著

《随军散记》　沙汀 / 著

《被日寇囚系半载记》　王研石 / 著

《倭营历险记》　房沧浪 / 著

《活跃的新西北》　田影 / 编著

《保卫华北的游击战》　刘清扬　陈北鸥等 / 著

《徐州突围》　《徐州突围》编委会 / 编

《沦亡的平津》　长江　小方等 / 著

《淞沪火线上》　胡兰畦等 / 著

《瞻回东战场》　长江　罗平 / 著

《东线的撤退》　胡兰畦等 / 著

《抗战中的西北》　徐盈 / 著

《鲁闽风云》　徐盈等 / 著

《西线生活》　西北战地服务团集体创作

《中国解放区见闻》　［美］福尔曼著 / 朱进译

《全面抗战论》　潘汉年 / 著

《日本的间谍》　范士白自述 / 尊闻译

《日本大陆政策的真面目》　国难资料编辑社 / 编

《民众动员论》　李公朴 / 著

《中国外交史》　钱亦石 / 编著

《太平洋军事地理》　蒋震华 / 著

《世界经济地理讲话》　思慕 / 著

《列强军力论》　［德］马克斯 · 威纳尔著 / 宾符　仲持　梅益等译

《近代国际关系史》　张铁生 / 著

《太平洋现势手册》　沈志远　石啸冲 / 编著

《近代世界政治史》　钱亦石 / 著

《从战争到和平——一九四五年的世界政治》　乔木 / 著

《战后日本问题》　思慕 / 著

《最近一年间的国际动态（1946.7–1947.6）》　《东北日报》社 / 编

《论政党》　翟放 / 著

《法与宪法》　韩幽桐 / 编著

《中华民国宪法刍议》　罗家衡 / 著

《民主 · 宪法 · 人权——作之民》　费孝通 / 著

《宪法论初步》　潘念之 / 著

《对反民主的抗争》　韬奋 / 著

《农村改进的理论与实际》　江恒源 / 著

《上海产业与上海职工》（上下）　　朱邦兴　胡林阁　徐声 / 合编

《陶行知教育论文选辑》　　陶行知著 / 方与严编

《中国通货膨胀论》　　杨培新 / 著

《中国及其未完成的革命》　　H·普拉特著 / 蒋天佐译

《中国的建设问题与人的训练》　　卢作孚 / 著

《论中国特殊性及其他》　　艾思奇 / 著

《中国经济问题讲话》　　钱俊瑞　徐雪寒　王渔邨　姜君辰　骆耕漠 / 合著

《中国经济的道路》　　许涤新 / 著

《中国财政之病态及其批判》　　孙怀仁 / 著

《官僚资本论》　　许涤新 / 著

《五四运动之史的评价》　　陈端志 / 著

《中国通史简编》（上下）　　中国历史研究会　范文澜 / 主编

《论文学的工农兵方向——读〈在延安文艺座谈会上的讲话〉》　雪苇 / 著

《中国近代史（上编　第一分册）》　　武波 / 编著

《文学百题》　　傅东华 / 编

《中国史学之进化》　　周谷城 / 著

《论民族形式问题》　　胡风 / 著

《论批评》　　荃麟等 / 著

《中国史纲》（第一卷上下、第二卷上下）　　翦伯赞 / 著

《近代中国思想学说史》（1–4）　　侯外庐 / 著

《中国政治思想史》（上下）　吕振羽 / 著

《中国哲学史纲要》　向林冰 / 著

《中国政治史讲话》　钱亦石 / 著

《中国社会经济史纲》　王渔邨 / 著

《新财政学大纲》　千家驹 / 著

《太平天国革命运动论文集——金田起义百周年纪念》

华北大学历史研究室 / 编

《理性与自由——文化思想批评论文集》　胡绳 / 著

《战斗者的诗人》　黄药眠 / 著

《国语文法》　曹朴 / 著

《教育哲学》　张栗原 / 著

《妇女问题讲话》　杜君慧 / 著

《婚姻 · 子女 · 继承》　沙千里 / 著

《性教育新论》　布士克　雅各生合著 / 董秋斯译

《狱中杂感》　杜重远 / 著

《七人之狱》　沙千里 / 著

《爱迪生传》　伍况甫 / 译

《歌德自传》（上下）　歌德著 / 思慕译

《尼赫鲁自传》　［印度］尼赫鲁著 / 毕来译

《列宁传》　［苏］凯尔任采夫著 / 企程　朔望译

《罗斯福总统传》　C. Mackenzie 著 / 张尚之译

《托尔斯泰传》（1–3）　［英］阿尔麦 · 莫德著 / 徐迟译

《革命文豪高尔基》　［美］亚历山大·康恩著／韬奋编译

《鲁迅纪念特辑》　新中国文艺社／编

《回忆鲁迅先生》　萧红／著

《人民文豪鲁迅》　平心／著

《亡友鲁迅印象记》　许寿裳／著

《鲁迅思想研究》　何干之／著

《鲁迅研究》　夏征农／编

《过来的时代：鲁迅论及其他》　雪峰／著

《电影戏剧表演术》　洪深／著

《日常心理漫谈》　［美］约瑟夫·查斯特罗著／曾宝施译

《心理常识漫话》　朱智贤　杨云美／著

《读书的方法与经验》　王任叔／著

《美国黑人生活纪实》　［美］加德维尔　斯坦倍克著／董秋斯译

《初访美国》　费孝通／著

《事业与成功》　［美］马尔腾著／汪原放译

《萍踪寄语（初集）》　韬奋／著

《一生的幸福前途——〈生活周刊〉信箱选集》　生活书店／编选

《深刻的印象》　生活周刊社／编

《海外的感受》　生活书店编译所／编